プロシーディングス刑事裁判

（平成30年版）

はしがき

本書は，「司法研修所での導入修習を受けるに先立って，別途配布される「プラクティス刑事裁判（別冊）」を参照しつつ，第一審刑事裁判手続の流れについて復習しておいてもらう目的で作成されたものである。」（「はしがき」より）というコンセプトのもと，司法修習生に提供されているものです。

なお，平成３０年版では，旧版以降の刑訴法の改正等を踏まえて書き改めた上，著名な裁判例を踏まえた「Q」を，その裁判例で問題となった手続時点の箇所に加筆し，刑訴法上の問題が手続のどの段階で生じ得るのかの理解に資するように工夫がされています。

司法修習生のみならず実務に携わる各位の好個の参考資料と思われますので，頒布することといたしました。

平成３１年１月

一般財団法人　法　曹　会

はしがき

本書は,「司法研修所での導入修習を受けるに先立って，別途配布される「プラクティス刑事裁判（別冊)」を参照しつつ，第一審刑事裁判手続の流れについて復習しておいてもらう目的で作成されたものである。」(「はしがき」より）というコンセプトのもと，司法修習生に提供されているものです。

司法修習生のみならず実務に携わる各位の好個の参考資料と思われますので，頒布することといたしました。

平成２８年１１月

一般財団法人　法　曹　会

目次

第一審刑事訴訟手続の流れに即した目次

（( ) 内の数字は頁番号，［ ］の数字は刑事訴訟法（規とあるのは刑事訴訟規則）の条項）

公訴の提起（4）

検察官による起訴状の提出
起訴状の記載（4）［256Ⅱ，規 164 等］
公訴提起に伴う措置（6）［規 165 等］
↓
裁判所による起訴状の受理（6）
↓
裁判所内の事件の分配（7）

被疑者勾留から起訴された場合の身柄関係（100）

↓

公判準備（9）

事件分配直後の裁判所・裁判長による手続
起訴状の審査（9）
起訴状謄本の送達（9）［271Ⅰ，規 176Ⅰ］
弁護人選任に関する通知書の送付（9）［272Ⅰ，規 177］
国選弁護人の選任（10）［36，289Ⅱ，37 等］
第 1 回公判期日の指定（11）［273Ⅰ］

第 1 回公判期日前の勾留に関する処分（101）［280Ⅰ］

保釈関係（107）（第 1 回公判期日前に限られない）［88 以下］

当事者を中心とした事前準備（13）

当事者の準備（17）
証拠の収集，整理（17）［規 178 の 2］
証拠書類，証拠物の閲覧の機会の付与（18）［規 178 の 6Ⅰ①・Ⅱ③］
証拠に関する同意又は異議の見込みの通知（19）［規 178 の 6Ⅰ②・Ⅱ②］
証人等の氏名及び住居を知る機会の付与（20）［規 178 の 7］
裁判所に対する審理に要する見込み時間等の申出（20）［規 178 の 6Ⅲ②］
第 1 回公判期日への証人予定者の在廷努力（20）［規 178 の 13］
訴因及び罰条の明確化，争点明確化のための打合せ（21）［規 178 の 6Ⅲ①］

裁判所の役割（15）
検察官，弁護人の氏名の告知等［規 178 の 3］　審理の見込み時間の告知［規 178 の 5］
訴訟当事者に対する準備に関する問合せ，準備の促し［規 178 の 14］
検察官，弁護人との打合せ［規 178 の 15］

公判前整理手続（24）

公判前整理手続の開始（26）
↓
公判前整理手続の進行（33）

当事者による主張と証拠調べ請求等
検察官による証明予定事実記載書の提出，証拠調べ請求等（28）［316 の 13Ⅰ・Ⅱ］
↓
被告人側による証拠意見［316 の 16］，予定主張の明示，証拠調べ請求等［316 の 17Ⅰ・Ⅱ］（29）
↓
検察官による証拠意見［316 の 19］
検察官及び弁護人の証明予定事実・予定主張の追加・変更［316 の 21・22］（29）

→ ←

証拠の開示

当事者間
請求証拠開示（30）［316 の 14Ⅰ］
証拠一覧表交付（30）［316 の 14Ⅱ］
類型証拠開示（31）［316 の 15］
主張関連証拠開示（32）［316 の 20］
検察官の任意の証拠開示（36）

裁判所
証拠開示に関する裁定（32）［316 の 25・26・27］

↓
公判前整理手続の終了
争点及び証拠の整理結果の確認（36）［316 の 24］

↓

目次

公判手続（38）

冒頭手続（42）
- 被告人に対する人定質問（43）［規 196］
- 起訴状の朗読（44）［291 I］
- 黙秘権等の告知（44）［291IV・規 197］
- 被告人及び弁護人の被告事件に対する陳述（45）［291IV］

↓

証拠調べ手続（47）

冒頭陳述（60）［296，316 の 30，規 198］
- 公判前整理手続の結果顕出（64）（公判前整理手続を経た事案）［316 の 31 I］

↓

証拠調べ請求
- 証拠調べ請求（66）［298 I］　立証趣旨の明示（67）［規 189 I］

↓

相手方の証拠調べ請求に対する**意見**（69）［規 190 II］

↓

裁判所の**証拠決定**（72）［規 190 I］

（公判前整理手続を経た事件では，全て又は概ね済んでいることが多い。）

↓

証拠調べの施行（74）
- 証拠書類（書証）の朗読等（74）［305，規 203 の 2］
- 証拠物（物証）の展示（76）［306］
- 証人尋問（76）
  - 証人に対する人定尋問（79）［規 115］
  - 尋問の順序：交互尋問（80）［304III，規 199 の 2］
    - 請求側の主尋問［規 199 の 3］
    - 相手方の反対尋問［規 199 の 4］
    - 裁判所の補充尋問［規 201 I 等］
    - 情状証人への被害者参加人等の尋問［316 の 36］
  - 尋問の方法（81）［規 199 の 13 I・14］
  - 許されない尋問（83）［295 I，規 199 の 3III，199 の 13II］
- 被告人質問（87）［311 II III］
  - 弁護人からの質問
  - 検察官からの質問
  - 裁判所の補充的な質問
  - 被害者参加人等の被告人質問［316 の 37］

証拠調べに関する異議（89）［309 I］
証明力を争う機会の付与（92）［308，規 204］

↓

被害者等による被害に関する心情その他被告事件に関する意見の陳述（93）［292 の 2］

↓

検察官の論告・求刑（94）［293 I，規 211 の 2・3］
被害者参加人等の事実又は法律の適用についての意見陳述（95）［316 の 38］
弁護人の弁論・被告人の最終陳述（95）［293 II，規 211，211 の 2・3］

↓

弁論の終結（95）

↓

（**評議**（98））

↓

判決宣告等（98）［342，規 35，220，220 の 2，221］

裁判長の訴訟指揮等に対する異議（39）［309 II］
期日間準備（23）
期日間整理手続（36）［316 の 28］

第１　刑事裁判手続の流れと基本原則

第一審の刑事裁判の手続の流れは，おおまかにいうと，次の図１のとおりである。

図１

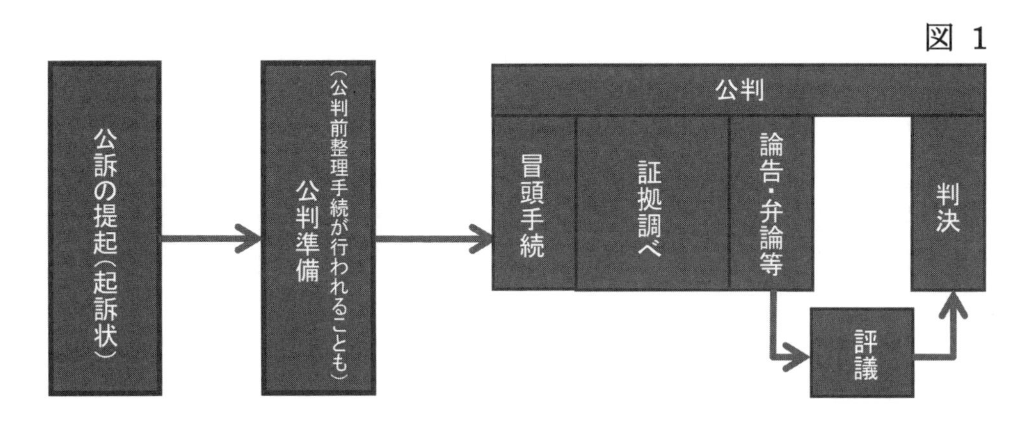

以下，順に概観していくが，その前に，刑事裁判手続を貫く基本原則をいくつか復習しておく必要がある。

わが国の刑事裁判手続は，当事者主義を基調としているとされる。**当事者主義**とは，事案の解明ないし証拠の提出の主導権を当事者に委ねる建前をいい，**職権主義**とは，この主導権を裁判所が持っている建前をいう。

刑事訴訟法の下においては，まず当事者である検察官が，審判を求めるところの，法的に構成された具体的事実の主張（訴因）を提示し，これを証明する証拠を提出する。これに対し，被告人側も，訴因について反論し，提出された証拠について意見を述べ，また，反論すべき主張及び反対証拠を提出することができる。このように，事案の解明ないし証拠の提出を当事者に委ねることによって，当事者は訴訟で自己に有利な結果を得るために最大限の努力をして証拠を収集することとなり，結局，**実体的真実の発見**（法１条。以下，単に「法」と表記するものは刑事訴訟法を指す）のために役立つと考えられている。

ただし，法においても，補充的に職権主義を示す規定が置かれている。職権証拠調べ（法298条２項，316条の32第２項），訴因変更命令（法312条２項）などがそれである。

審理に関わる諸原則としては，弁論主義，口頭主義，直接主義，公開主義などがある。

弁論主義とは，当事者の弁論に基づいて審判を行う建前である。判決は口頭弁論に基づくことを要するものとされており（法43条１項），当事者には，審理の冒頭手続において被告事件に対する意見を陳述する機会が（法291条４項），証拠調べを終えた後には意見を陳述する機会が（法293条），それぞれ与えられる。その他，重要な事項については，必ず当事者に対し意見を述べる機会を与えている場合があり，このような当事者の弁論に基づいて，審理が行われることになる。

とりわけ，公判前整理手続が実施され，かつ，訴訟当事者の公判活動が，これを的確に反映するなどして，争点判断にとって重要な部分に的が絞られたものとなっていれば，公判審理も，訴訟当事者の立証，反証構造に関する弁論を反映したものとなるはずである。

口頭主義とは，訴訟資料を口頭で裁判所に提供し，裁判所がこれに基づいて審判をすべきものとする建前をいう。口頭主義は，弁論主義と結び付いて**口頭弁論主義**となる。判決は，特別の定めのある場合を除き，口頭弁論に基づいてこれをしなければならない（法 43 条 1 項）とあるのは，口頭弁論主義を表明したものである。したがって，公判期日における審理は，原則として口頭により行われる。

なお，口頭主義の下では，口頭による訴訟資料の提供を受ける裁判官及び裁判員は，終始同一人でなければならないから，開廷後，裁判官が交替したり，新たに合議体に加わった裁判員があるような場合は，訴訟資料の提供を受け直す必要がある（**公判手続の更新**。法 315 条本文，裁判員の参加する刑事裁判に関する法律（以下，「裁判員法」という）61 条）。

直接主義とは，広義では，公判廷で裁判所により直接取り調べられた証拠に限って裁判の基礎とできるというものである。事実の証明については，なるべく書面によらず証人の証言等直接的な証拠によるべきであるとする原則をも含む。後に触れるが，裁判員裁判の導入を契機として，重要な事実については公判廷で証人尋問を行うという運用が広がっているが，これは，直接主義の要請であるとともに，裁判所が公判で的確に心証を形成することが不可欠であると考えられているからである。

上記のとおり，開廷後裁判官が交替したり，新たに合議体に加わった裁判員があるときに公判手続の更新が必要とされるのは，直接主義の要請でもある。

公開主義とは，一般国民が自由に傍聴できる状態で審判を行わなければならないという建前をいう。公開主義は，憲法上の要請であり，憲法は，特に刑事被告人に対し公開の審判を受ける権利を保障し（憲法 37 条 1 項），公判期日の審理及び判決は公開の法廷で行うべきことを定めている（憲法 82 条 1 項）。公開主義は，被告人の権利であると同時に，司法の公正を保障するという国家的意味を持つものである。

裁判員裁判の登場により，改めて脚光を浴びたのが**公判中心主義**である。有斐閣「法律学小辞典」新版では，「審理の重点を形式的にも実質的にも公判に置くべきだとする考え方」であり，「生き生きとした口頭審理を目指す現行刑訴法制定時下の理想であった。実際の運用では捜査段階の書面が多く用いられ，公判中心主義は目減りしている」とされている。ある著名な学者の指摘によれば，外国には，「公判中心主義」に相当する術語はないらしい。それは「審理の重点を公判に置く」のは，あまりにも当然のことだからであるという。審理の重点が「実質的にも」公判にある（べきである）ということが何を意味するのか，考えていかなければならない。

　これらの基本原則は，以下の多くの場面での思考のベースになる。刑事訴訟の**基本原則が，実際の手続にどのような形で反映されているか**に注意を払ってほしい。

第２　公訴の提起等

この章では，次の図２に示されたような手続をみていく。

図２

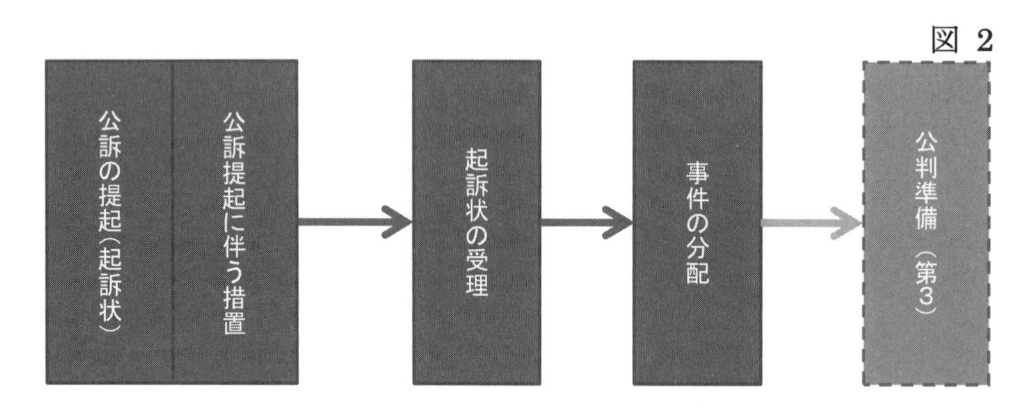

公訴の提起は検察官が行う（法247条，検察庁法４条)。検察官は，起訴状を提出しなければならない（法256条１項)。法は，私人による訴追を許さず，訴追の権限を検察官に限っている（**国家訴追主義**，**起訴独占主義**)。

Q　起訴独占主義の例外はあるか。

１　起訴状の記載

プラクティス刑事裁判の事件（以下，「本件」ともいう）の起訴状は，その別冊１頁のとおりである。

起訴状の記載事項には以下の**ア**～**エ**が含まれる。

ア　被告人の氏名その他被告人を特定するに足りる事項

法256条２項１号で記載事項とされている。同号では例示として「被告人の氏名」しかあげられていないが，規164条１項１号（以下，単に「規」と表記するものは刑事訴訟規則を指す）では，被告人の年齢，職業，住居及び本籍の記載も要求されている。被告人の年齢については，生年月日を記載するのが通例となっており，プラクティス刑事裁判別冊１頁の起訴状もそのようになっている。

イ　公訴事実

公訴事実（法256条２項２号）は，**訴因を明示**して記載しなければならない（法256条3項前段）。訴因を明示するには，できる限り日時，場所及び方法をもって罪となるべき事実を特定しなければならない（法256条3項後段）。

訴因には，通常，次の6項目の記載がなされる（いわゆる六何の原則）。

①　誰が（犯罪の主体），
②　いつ（犯罪の日時），
③　どこで（犯罪の場所），
④　何を又は誰に対して（犯罪の客体），
⑤　どのような方法で（犯罪の方法），
⑥　何をしたか（犯罪の行為と結果）

訴因は，審判の対象を明確にするため，最小限度他の事実と区別できる程度に事実を特定して記載する必要がある。

公訴提起後に訴因を改める必要が生じた場合，例えば，証拠調べの結果，検察官が立証できたと考える罪と訴因との間にずれが生じた場合などのため，訴因変更の制度（法312条）が設けられている。

> Q　訴因は，どの程度特定されていなければならないのか。
>
> Q　本件において，検察官が万引き窃盗についても訴追したいと考えた場合に，訴因変更によるべきか，それとも追起訴によるべきか。
>
> Q　訴因変更請求やそれに対する許可不許可の決定は，いつできるのか，いつ行うことが妥当なのか。第1回公判期日の前に行うことは可能か。公判前整理手続中に行うことは可能か。証拠調べが終了した後に行うことは可能か。弁論の終結後に行うことは可能か。

ウ　罪名

罪名（法256条2項3号）は，適用すべき罰条を示して記載する（法256条4項本文）。

実務上は本件のように，構成要件の名称（殺人未遂，銃砲刀剣類所持等取締法違反）と罰条（刑法203条，199条，銃砲刀剣類所持等取締法31条の18第3号，22条）の双方が記載されている。

なお，罰条も変更されることがある（法312条）。

エ　被告人の身柄拘束の有無等

起訴状には，被告人が逮捕又は勾留されているときは，その旨を記載すべきこととされており（規 164 条 1 項 2 号），本件では，被告人が勾留中であるので「勾留中」の表示がなされている。

その他，被告人の身柄関係を示すものとして「在宅」「別件勾留中」等の表示がある。「勾留中求令状」などという表示もあるが，これについては，後記第 5 の 1 (1)（100 頁以下）参照。

2　起訴状一本主義

起訴状には，裁判官に事件につき予断を生じさせるおそれのある書類その他の物を添付し，又はその内容を引用してはならない（法 256 条 6 項）。これを**起訴状一本主義**という。

「添付」又は「引用」に当たらなくとも，起訴状一本主義の趣旨に反するような**余事記載**は，添付又は引用に準ずるものとして禁止されなければならない。

Q　起訴状一本主義が採用されているのはなぜか。

3　公訴提起に伴う措置

検察官は，公訴提起に際し，裁判所に対して，起訴状を提出する（法 256 条 1 項）ほか，公訴の提起前に弁護人選任書が検察官等に差し出されている場合には，弁護人選任書を差し出さなければならない（規 165 条 2 項前段）。公訴の提起前に弁護人選任書が検察官等に差し出されている場合には，弁護人の選任は第一審においてもその効力を有する（法 32 条 1 項，規 17 条）からである。

また，被疑者に対して国選弁護人が選任された場合で（法 37 条の 2〜37 条の 5），被疑者が釈放されることなく公訴提起されたときには，検察官は，公訴提起と同時に，国選弁護人があることを裁判所に通知しなければならない（規 165 条 3 項）。そのようなときには，国選弁護人の選任は第一審においてもその効力を有する（法 38 条の 2，32 条 1 項）からである。

4　起訴状の受理

起訴状の提出によって事件が裁判所に係属するが，その時点は，起訴状が現実に裁判所に到達し，それを書記官が受理した時である。公訴提起の年月日がいつかということは，公訴時効の期間（法 250 条），起訴前の勾留の期間（法 208 条１項），起訴後の勾留の期間，勾留の期間の更新（法 60 条２項）等の関係で重要な意味がある。

５ 事件の分配等

起訴された事件は，当該裁判所の事務分配規程に従い，機械的に各部・係に分配される。

法定刑が死刑又は無期若しくは短期１年以上の懲役若しくは禁錮に当たる罪（ただし，強盗罪，常習累犯窃盗罪等の例外がある）を対象とする事件を**法定合議事件**という。法定合議事件は，３名の裁判官による合議体で審理及び裁判をする（裁判所法 26 条２項２号，３項）。

それ以外の罪を対象とする事件を**単独事件**といい，１名の裁判官による単独体で審理及び裁判をする（裁判所法 26 条１項）。そのほか，単独事件であっても，事件の重大さや複雑さ等を考慮して合議体で審理及び裁判をする旨の決定をする事件があり（同条２項１号），これを**裁定合議事件**という。

法定合議事件のうち，裁判員法の定める「**対象事件**」については，裁判員の参加する合議体が構成された後は，その合議体で取り扱うこととなる。

対象事件は，次の二つの類型である（裁判員法２条１項）。

①　死刑又は無期の懲役若しくは禁錮に当たる罪に係る事件
②　法定合議事件であって，故意の犯罪行為により被害者を死亡させた罪に係るもの

プラクティス刑事裁判の起訴状には，殺人未遂と銃刀法違反の二つの事件が記載されている。殺人未遂は，上記の①に当たるが，銃刀法違反は，①・②のいずれにも該当しない。しかし，裁判員法４条１項は，対象事件以外の事件でも，その弁論を対象事件の弁論と併合することが適当と認められるものについては，決定で，これを裁判員の参加する合議体で取り扱うことができると定めている。プラクティス刑事裁判別冊の２頁の省略書類の中には，銃刀法違反被告事件の審理及び裁判を裁判員の参加する合議体で行う旨の決定書があげられている。なお，省略書類の中には，弁論併合に係る決定書もあげられているので，殺人未遂と銃刀法違反の弁論が併合されたことが分かる。

当該事件の分配を受け，審理を担当することとなった単独体（裁判官）又は合議体は**受訴裁判所**と呼ばれる。

第３　公判準備

この章では，次の図 3 に示されたような手続をみていく。

図 3

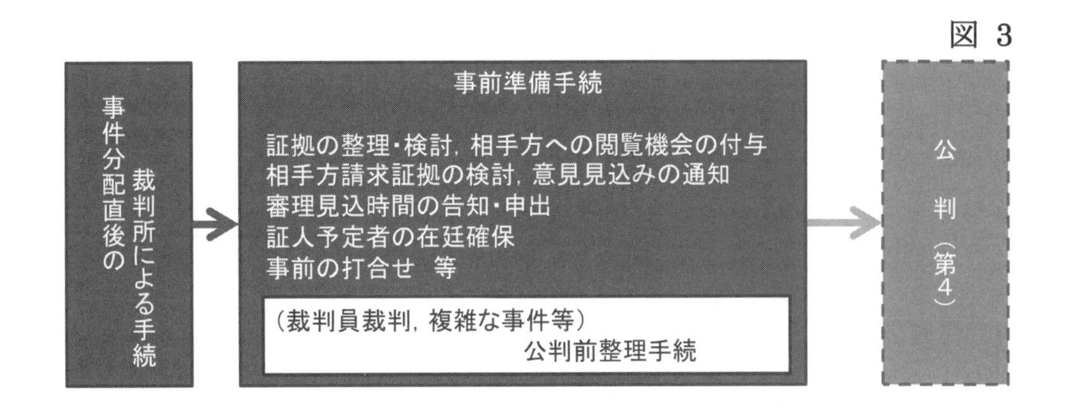

１　事件分配直後の裁判所・裁判長による手続

(1) 起訴状の審査

受訴裁判所は，まず，起訴状の記載等について審査する。検討事項の例をあげると，起訴状に記載されている訴因が特定されているか，法 256 条 6 項に反するような余事記載等がないか，訴訟条件（事物管轄，土地管轄，公訴時効等）が備わっているか，訴因と罰条が一致しているかなどである。

Q　裁判所が，事前に起訴状を読んで，訴因をチェックしたり，関連する条文や判例を検討したりしておくことは，事件に予断を抱くことにならないか。

(2) 起訴状謄本の送達

裁判所は，起訴状謄本を受け取ったときは，直ちにこれを被告人に送達しなければならない（法 271 条 1 項，規 176 条 1 項）。プラクティス刑事裁判別冊の 2 頁の省略書類の中に，起訴状謄本を送達した「郵便送達報告書」があげられている。

(3) 弁護人選任に関する通知書の送付

被告人又は被疑者は，いつでも弁護人を選任することができ（法 30 条 1 項），被告人又は被疑者の配偶者，直系の親族及び兄弟姉妹等は，独立して弁護人を選任することができる（同条２項）。これらの者が選任した弁護人が**私選弁護人**である。

これに対し，裁判所若しくは裁判長又は裁判官が付した弁護人を**国選弁護人**という（被告人に対する国選弁護人について後記(4)参照）。

裁判所は，公訴の提起があったときは，遅滞なく被告人に対し，次の①～③等を知らせなければならない（法272条１項本文，規177条本文）。

①　弁護人を選任できること
②　貧困その他の事由により弁護人を選任することができないときは弁護人の選任を請求できること（法36条本文）
③　死刑又は無期若しくは長期３年を超える懲役若しくは禁錮に当たる事件については，弁護人がなければ開廷することができないこと（法289条１項，**必要的弁護事件**という）

もっとも，被告人に既に私選弁護人又は被疑者段階で選任された国選弁護人があるときはその必要がない（法272条１項ただし書，規177条ただし書）。

(4) 国選弁護人の選任

国選弁護人の選任については，被告人の請求によってなされる場合と，裁判所又は裁判長が職権で付する場合とがある。

ア 請求による場合

法36条，規28条。裁判所は，被告人の請求により，弁護人を付する決定をし，そのときは，日本司法支援センターに対し，国選弁護人候補を指名して通知するように求める（総合法律支援法38条１項）。裁判長は，その指名通知に基づいて国選弁護人を選任する（法38条１項，規29条１項）。

イ 請求がない場合

(ｱ) 必要的弁護事件のとき（前記(3)参照）

必要的弁護事件の場合（法289条１項，316の４第１項，316条の28第２項，316条の29，350条の23）には，請求がなくても，職権により裁判長が弁護人を付さなければならない（法289条２項，規178条３項，法316条の４第２項，316条の28第２項，法350条の18，規222条の17第３項）。

Q　必要的弁護となるのはどのような場合か。それらがなぜ必要的弁護事件になるのか。

(ｲ) 必要的弁護事件以外のとき

裁判所は，法37条の各号に定められている場合は，職権で弁護人を付する決定をすることができる。

(5) 第１回公判期日の指定

ア 裁判長の期日指定

裁判長は，**第１回公判期日の指定**を行う。なお，全ての公判期日の指定は裁判長が行うことになっている（法273条１項）。

公判期日の指定は必ずしも１期日ごとになされるとは限らず，むしろ，審理に２日以上を要する事件については，後記２の事前準備の状況により，当初から一括して数期日を，しかも短期間内又は連日的に指定することが望ましい（法281条の６参照）。

なお，いったん指定された公判期日を変更することは，期日指定と異なり裁判所が行うものとされている（法276条１項）。期日変更は，職権で行う場合のほか，検察官，被告人又は弁護人の請求によって行うのであるが，請求があれば必ず変更を認めなければならないものではなく，変更するについては，やむを得ないと認められる事由が必要である（規179条の４第２項，182条１項）。不当な期日変更を防止しようとするためである。

イ 猶予期間

第１回公判期日の指定については，被告人を召喚するための召喚状の送達と第１回公判期日との間に，原則として少なくとも５日間（簡易裁判所の場合は３日間）の猶予期間があるようにしなければならない（法275条，規179条２項）。

実務では，公判前整理手続に付されていない事件については，弁護人の準備等を考慮して（規178条の4），第1回公判期日は，起訴後1か月程度とされるのが通例である。

ウ 公判期日の通知

公判期日が指定されると，その公判期日を検察官，弁護人に通知しなければならない（法273条3項）。

エ 被告人の召喚

第1回公判期日が指定されると，被告人を召喚しなければならない（法273条2項）ので，被告人に召喚状を送達することになる（法62条，65条1項）。

２　当事者を中心とした事前準備

(1) 事前準備の目的と機能

第一審の刑事裁判手続のいわばゴールは，**判決**である。いうまでもなく，それは，「公共の福祉の維持と個人の基本的人権の保障とを全うしつつ，事案の真相を明らかにし，刑罰法令を適正且つ迅速に適用実現する」という法１条の目的を達成する形でもたらされなければならない。

そのような判決が出されるためには，そのための**心証**が的確に形成され，また，**評議**が行われる事件では，その評議が充実した形で進められなければならない。焦点の定まらない，必要のない証拠調べが延々と行われ，いたずらに訴訟が遅延するような事案では，的確な心証形成・評議を図れないおそれがあることは明らかであろう。

したがって，的確な心証形成，充実した評議がもたらされるには，判断すべき事項（**争点**）が明確に示され，その判断のためのポイントに焦点が当てられた**主張立証活動**が行われなければならない。そのような充実した**公判審理**が，継続的，計画的かつ迅速にも行われなければならない。

そして，そのような公判審理が行われるには，そのための準備，つまり，**公判準備**は，図４のような，いわば公判以降を見すえた逆算思考から行われる必要がある。

図４

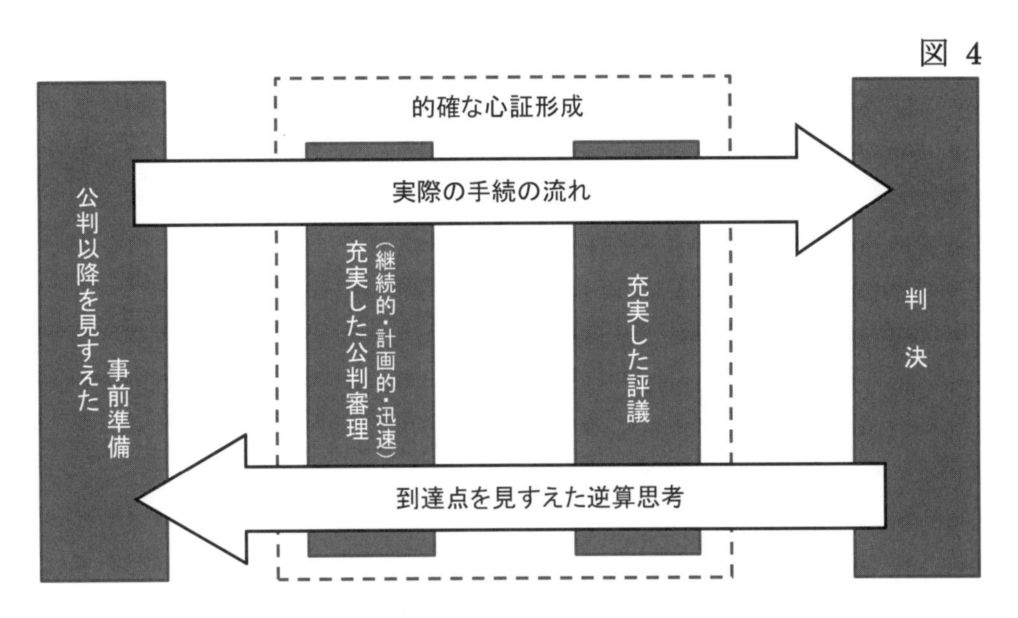

継続的，計画的かつ充実した公判審理を実現するためには，いうまでもなく第１回公判期日前の公判準備が重要である。ただ，起訴状一本主義（前記第２の２（６頁））のもとで，裁判所は，第１回公判期日前の準備の段階では，

当然に証拠の内容に触れることができず，かつ，公判審理も当事者主義を基調とする以上，当事者が準備を十分に尽くしていることが必要不可欠である。

当事者を中心とした訴訟関係人の第１回公判期日前の準備は，**事前準備**と呼ばれる。これについては，規則178条の2〜178条の7及び178条の13〜178条の15に，訴訟関係人の義務が具体的に定められている。なお，後記3(2)ア（26頁）のとおり，裁判員裁判の対象事件については必要的に公判前整理手続に付され，非対象事件についても，検察官，被告人若しくは弁護人の請求により又は職権で公判前整理手続に付されることがあり，それらの場合には，より徹底した事前準備がなされることとなる。

なお，審理の迅速化に向けた裁判所及び当事者の努力により，刑事第一審の平均審理期間は，昭和47〜49年に6.6か月であったものが，その後おおむね短縮化され，昭和60年には3.4か月となった。平成28年は3.2か月となっている。

(2) 事前準備における裁判所の役割

ア 検察官，弁護人の氏名の告知等

事前準備は，当事者双方が相互に連絡を取りながら自発的，積極的に行うべき性質のものであるが，その相互連絡が早期かつ円滑に行われるようにするため，裁判所は必要があると認めるときは，書記官に命じて適当な措置を採らせなければならない（規 178 条の 3）。その措置の一つとして，検察官及び弁護人の氏名を相手方に告知すべきことが定められている。

イ 審理の見込み時間の告知

裁判所が審理に充てることのできる見込みの時間をあらかじめ検察官又は弁護人に知らせる（規 178 条の 5）ことにより，当事者双方は，その公判期日における審理の進行程度を予測して，それに相応する必要な準備，例えば在廷証人を用意しておくことなどが可能となる。

ウ 訴訟当事者に準備の進行に関し問い合わせ，準備を促すこと

事前準備は，当事者双方が連絡を取りながら行うべきものであるが，裁判所も，当事者の準備の進行状況を把握すべきであり，場合によっては，側面から準備を促すことも必要となる（規 178 条の 14）。期日指定に当たっては，弁護人の準備等を考慮しなければならないこと（規 178 条の 4）は前記 1 (5)イ（11 頁）で触れたとおりである。

エ 検察官，弁護人との事前の打合せ

裁判所は，適当と認めるときは，検察官及び弁護人と訴訟の進行に必要な事項について打合せを行うことができる（規 178 条の 15 第 1 項本文）。

公判前整理手続（後記３（24 頁以下）参照）に付される事件や，公判前整理手続に付するまでもないが一定程度の複雑性や重大性のある事件などにおいては，打合せが行われることが少なくない。

オ 書記官の役割

裁判所の役割は，規則上は，次の(3)でみるような当事者の準備活動を

補助するだけにとどまるように見える。

しかし，実際には，裁判所は事前準備において積極的な役割を果たしてきた。その主役は，裁判所書記官である。

書記官は，裁判官（裁判体）から示された一般的な審理方針に基づいて，当事者から得た情報に基づき，しばしば当事者に対して必要なアクションを促し，当該事件の審理見込みを立てる作業を行っている。当事者からみても，書記官は，手続的に分からないことを教示してくれる点も含めて，頼りになるという感覚が強いものと思われる。

(3) 当事者の準備

裁判所がサポートするにしても，事前準備の主役が当事者であることに変わりはない。図 5 は，規則上の当事者の行うべき事前準備を上から時系列の順に示すとともに，規則上の事前準備における裁判所の役割を示したものである。順次矢印をたどることによって，準備活動の大まかな流れを理解できるであろう。

図 5

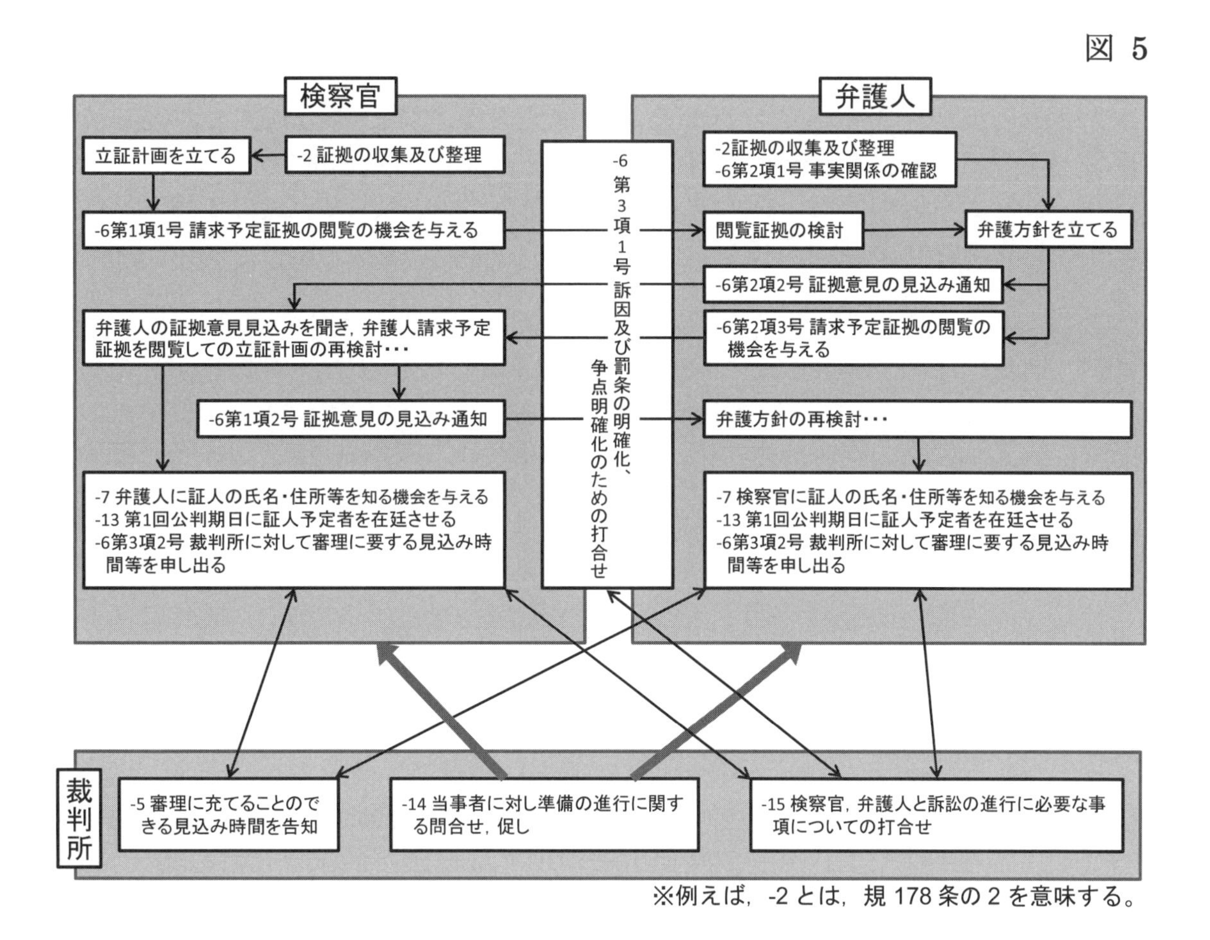

※例えば，-2 とは，規 178 条の 2 を意味する。

ア 審理の迅速化に向けた証拠の収集，整理

規 178 条の 2 は，「訴訟関係人は，第 1 回公判期日前に，できる限り証拠の収集及び整理をし，審理が迅速に行われるように準備しなければならない」と定める。

法 298 条 1 項は，「検察官，被告人又は弁護人は，証拠調を請求することができる」と定めているが，まずは，検察官は，立証責任を負っているのであるから，後に公判審理が始まり，証拠調べに入ると，立証のために必要で十分な証拠の取調べを請求しなければならない（規 193 条 1

項，後記第４の３⑷（66 頁）参照）。

そこで，検察官は，捜査記録を検討し，公訴事実を証明するためにどのような証拠を用いるべきか，後記第４の３⑴イ（49 頁以下）でみるような証拠をめぐる手続の流れも念頭に置きつつ，立証計画を立てなければならない。検討の次第によっては補充の捜査が必要なこともあるかもしれない。

一方，弁護人も，第 1 回公判期日前に，被告人に事実関係を確かめ，後記イにより検察官から開示された証拠を閲覧してその内容等を検討しつつ，被告人とよく打ち合わせ，証人となる可能性のある者その他の関係者に事前に面接調査をするなどして，防御の具体的な方針を立て，反証として提出する証拠の収集に努めることが必要である（規 178 条の 2，178 条の 6 第 2 項 1 号）。

例えば，被告人が犯罪事実を争っていないような事件であれば，公判期日は 1 回（時間にして 30 分～60 分）で終わることもある。そのような事件では，犯罪事実自体の証拠調べはスムーズに終わり，弁護側の情状立証に重点が置かれるであろう。情状証人に供述をしてもらいたいときは，当該証人を在廷させておくことが必要となり（規 178 条の 13），証人との打合せが必要である。

弁護側の証拠調べ請求や証拠調べ実施のタイミングは，事案によってさまざまでありうる（後記第４の３⑻（86 頁）参照）が，どのような事案でも事前準備がしっかり行われていれば，証拠調べ等が充実した形で，しかも迅速に進められることとなろう。

なお，後記第３の３⑵イ（26 頁以下）のとおり，公判前整理手続に付される事件では，公判前整理手続の中で証拠調べ請求が行われる。

イ　証拠書類，証拠物を閲覧する機会を相手方に与えること

事前準備では，検察官は，公訴の提起後なるべく速やかに，弁護人に対し，取調請求予定の証拠書類及び証拠物を閲覧する機会を与えなければならない（法 299 条 1 項，規 178 条の 6 第 1 項 1 号）。

後の公判では，検察官が取調べを請求した証拠に対して，弁護人が，予め立てた防御の方針に基づいて，証拠に対する意見を述べることになるから，弁護人が事前に検察官請求の証拠を検討できるようにしておかなければならないということである。

弁護人に予め検討してもらうことによって，検察官としても，次のウで述べるように，弁護人からの同意・不同意等の意見の事前通知（規 178 条の 6 第 2 項 2 号）を受けることができ，さらにこれに対応して当初の立証計画を発展させた上での準備を第 1 回公判期日前に行うことができるようになる（前記図 5 参照）。

前記アと合わせて考えると，検察官としては，何よりもまず，取調請求予定の証拠書類及び証拠物を選別整理して，これを弁護人に開示する作業を速やかに行うことが必要となるわけである。

なお，弁護人についても，取調請求予定の証拠書類及び証拠物の事前開示義務が規定されている（規 178 条の 6 第 2 項 3 号)。

ウ　開示証拠に関する同意・異議の有無の見込みを相手方に通知すること

弁護人は，検察官から事前開示を受けた証拠書類については証拠とすることに同意（法 326 条）をするかどうか，また証拠物についてはその取調べに異議がないかどうかの見込みを，第 1 回公判期日前の段階でなるべく速やかに検察官に通知しなければならない（規 178 条の 6 第 2 項 2 号)。

弁護人から同意・不同意等の見込みの通知を受けた検察官は，その証拠意見に対応して別の証拠調べ請求等の準備をすることもあり，例えば，事前に証人を予定し第 1 回公判期日から証人尋問に入るなど，公判期日を無駄にすることなく充実した審理を行うことができるのである。

つまり，後記第 4 の 3⑴イ（49 頁以下）で説明するように，検察官が当初請求した証拠に対する弁護人の意見等によって，その後の証拠をめぐる手続の流れが変わるから，検察官としては，事態に応じて立証方針を再検討し，「次の手」を考えなければならない。予め弁護人の意見見込みを聴取できていないと，第 1 回公判期日で実質的な証拠調べができないことにもなりかねない。

このように，弁護人の同意・不同意等の見込みの事前通知は，第 1 回公判期日からの充実した集中審理を可能にするための重要な前提であり，実務においてもほとんどの裁判所で実際に励行されている。

検察官についても，弁護人から事前開示を受けた証拠書類及び証拠物についての同意・不同意等の見込みの事前通知義務が規定されている（規 178 条の 6 第 1 項 2 号)。弁護人としても，取調べ請求予定の証拠に対する検察官の意見によっては，弁護方針を再検討し，「次の手」を考えなければならないからである。

エ　証人等の氏名及び住居を知る機会を与えること

証人等の尋問を請求するについては，検察官は弁護人に対し，弁護人は検察官に対し，その証人等の氏名及び住居を知る機会を与えなければならない（法 299 条 1 項）。第 1 回公判期日前である場合には，なるべく早い時期に，その機会を与えるようにしなければならない（規 178 条の 7）。

ただし，証人等やその親族を畏怖させるなどの行為がなされるおそれがあると認めるときは，検察官は，弁護人に対し，その証人等の氏名又は住居を知る機会を与える際に条件等を付したり，知る機会を与えないことができる場合がある（法 299 条の 4 第 1 項，2 項）。

オ　審理に要する見込み時間等を裁判所に申し出ること

迅速かつ充実した審理を実現するためには，当事者の事前準備を前提にして，公判審理が第 1 回公判期日から計画的に行われることが必要である。そこで，検察官及び弁護人に，証拠調べその他審理に要する見込み時間等開廷回数の見通しを立てるについての必要な事項を，第 1 回公判期日前に裁判所に申し出ることが義務付けられている（規 178 条の 6 第 3 項 2 号）。

検察官及び弁護人は，それまでの事前準備における連絡や打合せの結果を前提にして，請求予定の証人数，証人尋問に要する見込み時間，第 1 回公判期日において審理をどこまで進めることができるかについての予定等を裁判所に申し出ることになる。

裁判所はこの申出を参考にし，必要があるときは検察官，弁護人との事前の打合せを行い（規 178 条の 15），審理計画を立て，必要な公判期日を指定し，あるいは，審理に充てる見込み時間（規 178 条の 5）を設定することになる。

カ　第１回公判期日に証人予定者を在廷させるように努力すること

検察官及び弁護人は，第 1 回公判期日において取り調べられる見込みのある**証人予定者を在廷**させるように努力すべきことが要請されている（規 178 条の 13）。例えば，検察官が，犯罪事実に関して証人の取調べを請求しようとする場合，被告人側が，犯罪事実に関して争いのない事件で**情状証人**の取調べを請求しようとする場合等に，証人予定者が在廷していれば，第１回公判期日から証人尋問に入ることができ，充実した審理を行うことができる。

証人等の予定者として，第１回公判期日で取り調べられる見込みがあるかどうかは，それまでの事前準備の経過によって判断がなされるべきものである。なお，公訴事実に争いのない事件については，弁護人が第１回公判期日に情状証人を在廷させてその取調べを実施する運用が，実務で定着したものとなっている。

キ　訴因及び罰条の明確化，争点明確化のための打合せ

前記ア～カに掲げた当事者の事前準備は，主に証拠に関連する事項であったが，当事者の準備はそれにとどまるものではない。

立証活動が充実したものとなるためには，その前提となる主張，特に争点に関する主張がしっかりしたものでなければならない。さらにその前提として，当該事件の**争点は何か**を見極めていくことが必要である。

そのため，検察官及び弁護人に対しては，第１回公判期日前に，相手方と連絡して，起訴状に記載された訴因若しくは罰条を明確にし，又は，事件の争点を明らかにするため，相互の間でできる限り打ち合わせておくことが要請されている（規178条の６第３項１号）。**訴因及び罰条についての明確化**は，公判期日における裁判所の求釈明によっても可能であるが，公判期日の審理を充実させるためにも，また，弁護人が事前準備を効果的に行うためにも，できるだけ第１回公判期日前の段階で図られていることが望ましい。訴因及び罰条に関する疑義や紛議は，できる限り公判廷外で当事者が自主的に解決し，解決できないものだけを公判に持ち込むことが要請されている。

また，公訴事実を認めるかどうか，認めない場合には具体的にどの点を争うのか，を明確にし，ときには，証拠の内容等にまで立ち入って実質的な争点がどこにあるかなどを検討し，審理の重点を絞り込むなど，争点を明らかにするためにもできる限りの打合せを行うことが望まれている。これは，当事者間で十分打ち合わせることによって第１回公判期日から，争点を中心とする充実した審理を行うことを目的としたものである。

Q　事前準備の目的は何か。

Q　事前準備において，検察官及び弁護人は，それぞれ，どのような準備を行わなければならないのか。また，裁判所は，どのような役割を果たすことが期待されているのか。

(4) 期日間の準備

規則は，第 1 回公判期日前の事前準備について規定しているものではあるが，第 1 回公判期日以後の準備を不要とするものではないことはもちろんであり，むしろこれらの規定の趣旨は，第 2 回以降の公判期日のための準備（いわゆる**期日間準備**）にも推し及ぼされなければならない。例えば，証拠書類の事前開示及びこれに対する同意・不同意等の事前通知，証人等の氏名住居の事前開示，在廷証人の準備，準備促進のための措置，裁判所における事前の打合せ等は，期日間準備においても大いに活用励行されるべきものである。

３ 公判前整理手続

(1) 公判前整理手続の目的と機能

公判前整理手続は，**事件の争点及び証拠の整理**をするための公判準備の手続である。そして，その目的は，**充実した公判の審理を継続的，計画的かつ迅速に行う**ことにある（法316条の２第１項）。

刑事裁判は，被告人が公訴事実について有罪であるかどうか，仮に有罪であるとするとどのような刑罰が相当であるかを決めるための手続である。したがって，争点は，当事者間に争いのある点のうち，認定される犯罪事実の成否及び（有罪の場合には）刑の量定を導くに当たって重要なものである必要がある。

そして，前記２(1)（13頁）でも触れたように，充実した公判審理とは，判断すべき事項（争点）が明確に示され，その判断のためのポイントに焦点が当てられた主張立証活動が行われ，法廷で的確に心証をとることができるものをいう。

争点整理では，審理において当事者が主張立証を集中させ，裁判体による心証形成や評議の中心にすえられるべきものが何かを見極めることが必要となるわけである。

そのため，争点整理と証拠整理とは不可分の関係にあることを理解しておく必要がある。

直接証拠と間接証拠の区別等については後記第４の３(1)ア（47頁）で触れているが，まずはその事件がどのような**証拠構造**を備えている（と検察官が考えている）のかが大事である。

検察官が**直接証拠型**と主張する事案であれば，まずは，その直接証拠の信用性についてどのように評価できるかが大事になるであろう。

検察官が**間接事実型**と考える事案であれば，どのような間接事実を主張することになるか，特に，間接事実の意味合いや重みの評価，そしていくつかの間接事実を総合評価して要証事実を認定できるのかが重要になってくるであろう。これに対する弁護人の主張も，検察官の想定する証拠構造を踏まえた反論，例えば，直接証拠が信用できない，間接事実が認められない，間接事実から要証事実を認めることはできないといったものが中心となってくるであろう。

そして，当該事件の証拠構造を意識するということは，双方の主張が証拠のレベルではどのような攻防となるのかも決まってくるということである。直接証拠型の事案では，その直接証拠の取調べが重要となることは当然である（後記図 10（48 頁）参照）が，その信用性を吟味するために補助証拠（後記図 12 参照）を取り調べることも多くなる。間接事実型の事案であれば，間接事実の存否自体を間接証拠を通じて認定しなければならない場合，間接事実自体は容易に認められるもののそれが要証事実に対して証明力を持つかどうかの評価が争いになる場合など，さまざまなパターンがありえ，それに応じて，証拠調べの在り方も変化することになる。

このように，双方の主張如何により，的確な心証が形成できるようにするために最適な証拠調べの在り方も自ずと決まってくることになる。

裁判所としては，双方の主張や証拠調べ請求，証拠意見を理解しつつ整理を行い，争点を見極め，その判断のための証拠調べの在り方を見通して，審理及び評議に必要と見込まれるおおよその日数を予測して，継続的，計画的かつ迅速な公判の審理を実現していくことになる。

Q　公判前整理手続において，争点整理は何のために行うのか。

公判前整理手続の条文が新設される前の事前準備の規定ぶりは，前記２(3)（17 頁以下）でみたとおりであるが，複雑困難事件や大型否認事件などでは，事前準備のみの枠組みで，争点及び証拠の整理を行うことに限界があることもあろう。

これに対して，公判前整理手続では，受訴裁判所主宰の下，当事者双方が，公判において証拠により証明しようとする事実や公判においてすることを予定している主張を明らかにし，その証明に用いる証拠の取調べを請求することなどを通じて，事件の争点を明らかにし，公判で取り調べるべき証拠を決定した上，その取調べの順序・方法を定め，公判期日を指定するなどして明確な審理計画を策定するものとされており，当事者主義を基調としつつも，受訴裁判所がより積極的・主体的役割を果たすことが予定されている。

また，第１回公判期日前の段階から，事件の争点及び証拠を十分に整理するとともに，被告人側が防御の準備を十全に整えることができるようにするための証拠開示制度や，当事者間で証拠開示の要否等をめぐる争いが生じた場合に備えて，受訴裁判所が証拠開示に関する裁定を行う制度も整備されている。

なお，事件が公判前整理手続に付された場合，事前準備に関する規則の条項のうち，適用場面が考えられない規則 178 条の６第１項，２項２号及び３号，178 条の７，178 条の 13 並びに 193 条の規定は，適用されない（規 217 条の 19）。

(2) 法・規則が定めている手続

ア　公判前整理手続の開始

裁判所は，充実した公判の審理を継続的，計画的かつ迅速に行うために必要があると認めた場合には，検察官，被告人若しくは弁護人請求により又は職権で，第１回公判期日前に，決定で，事件を公判前整理手続に付することができる（法 316 条の２第１項）。公判前整理手続に付する決定又は上記請求を却下する決定をするには，あらかじめ，検察官及び被告人又は弁護人の意見を聴かなければならない（同条２項，規 217 条の３）。

公判前整理手続は，**弁護人**がなければ行うことができず，弁護人がないときは，裁判長が職権で弁護人を付さなければならない(法 316 条の４)。

裁判員裁判の対象事件は，全件が公判前整理手続に付される（裁判員法 49 条）。本来の職業生活や社会生活を有している裁判員の裁判への参加を可能にし，不必要な負担をかけないためには，あらかじめ審理見込み期間を明らかにし，連日的な開廷が可能な審理計画を策定する必要性が特に高い。また，裁判員に公判廷で的確な心証を得させ，裁判員が実質的に関与して，その職責を果たすことを可能とさせるためには，争点を明確に示すなどして，当事者双方がかみ合った主張を提示し，かつ，判断すべき事項との関係が理解できる充実した公判審理が行われなければならない（裁判員法 51 条）。前記２(1)（13 頁）で触れた「逆算思考」は，裁判員裁判の場合，その要請が一層強いということである。

そこで，裁判員裁判の対象事件については，第１回公判期日前に，事件の争点を明らかにし，公判で取り調べるべき証拠を決定して，明確な審理計画を策定するための手続である公判前整理手続の実施を必要的なものとしたのである。

イ　事件の争点の整理と証拠調べ請求，証拠開示等

公判前整理手続における事件の主張の整理と証拠の整理の定めは次の図６のようになっている。

さらに，図６を当事者の役割別にアレンジし直したのが，図７である。

図 6

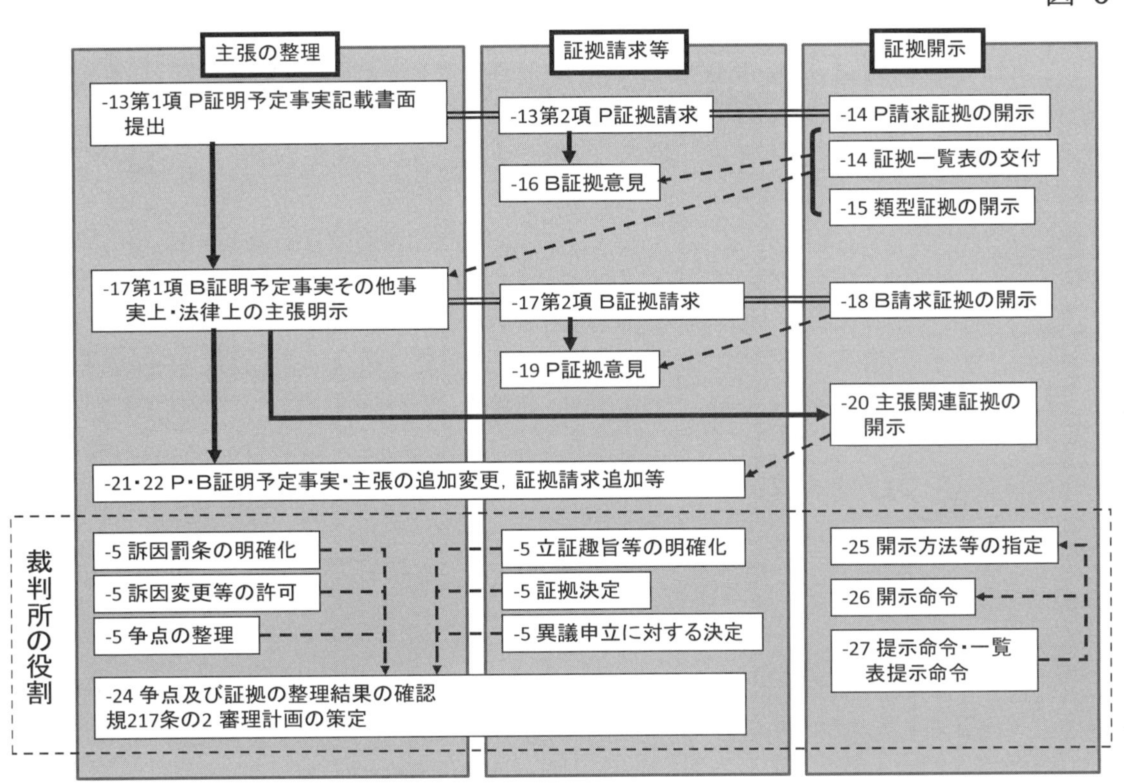

※Pとは検察官，Bとは弁護人を意味する。たとえば「-13」とは法316条の13をさす。

図 7

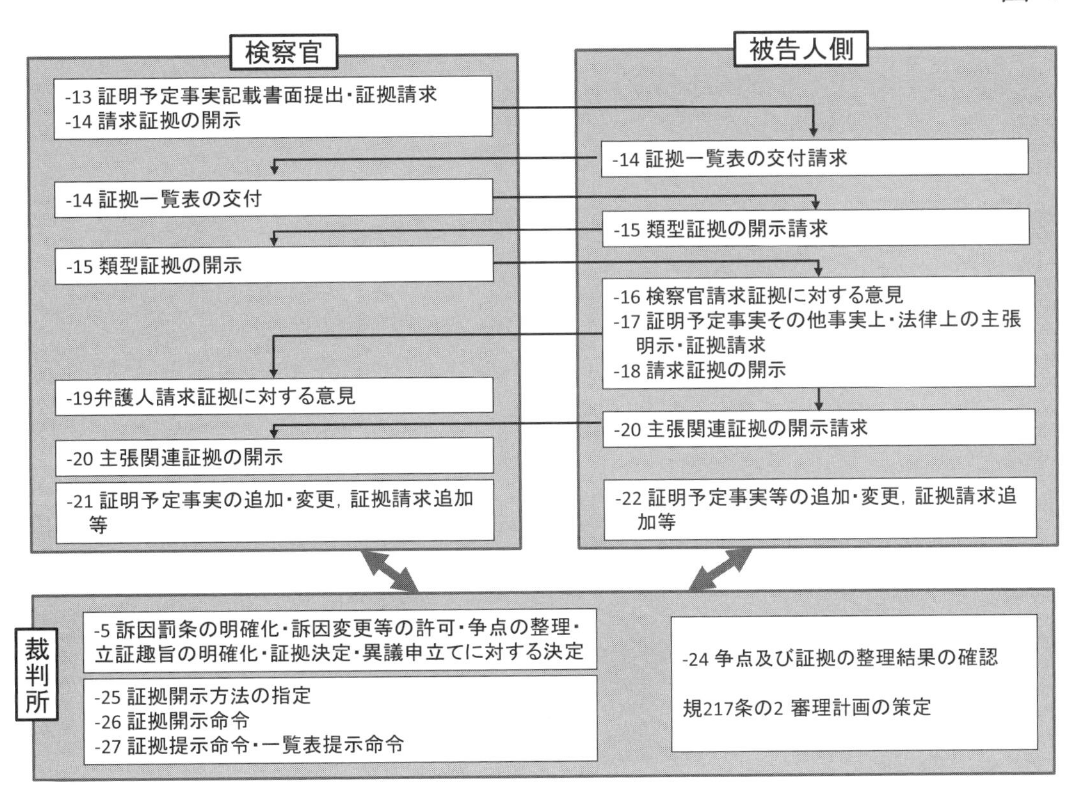

(ｱ) 検察官による証明予定事実記載書の提出，証拠調べ請求等

検察官は，事件が公判前整理手続に付されたときは，**証明予定事実**（公判期日において証拠により証明しようとする事実）を記載した書面を裁判所に提出し，被告人又は弁護人にこれを送付する（法 316 条の 13 第 1 項）。

その記載については，事件の争点及び証拠の整理に必要な事項を具体的かつ簡潔に明示しなければならない（規 217 条の 20 第 1 項）。証明予定事実を明らかにするに当たっては，事実とこれを証明するために用いる主要な証拠との関係を具体的に明示するなどの方法によって，争点整理及び証拠整理が円滑に行われるよう努めなければならない（規 217 条の 21）。

プラクティス刑事裁判別冊 4 頁に，検察官が提出した証明予定事実記載書が収められている。

また，検察官は，証拠を厳選してその証明に用いる**証拠の取調べを請求**しなければならない（法 316 条の 13 第 2 項）。証拠調べ請求については，後記第４の３(4)（66 頁）参照。

プラクティス刑事裁判別冊 29～34 頁に収められているのは，「証拠等関係カード」という書類である。ここにはこの事件の証拠をめぐる手続が記載されている。各欄の記載の意味については，後記第４の１(3)（41 頁）で説明するが，例えば，平成 29 年 7 月 14 日（証明予定事実記載書が提出されたのと同じ日）に，いくつかの証拠の取調べが請求されているのが分かる。

検察官は，取調べを請求した証拠を速やかに被告人側に開示しなければならず（法 316 条の 14 第 1 項），さらに，検察官の保管する証拠の一覧表を交付しなければならない場合（同条 2 項，5 項）や，検察官請求証拠以外でも，いわゆる類型証拠について，開示しなければならない場合がある（法 316 条の 15 第 1 項，2 項）（後記ウ(ｳ)（31 頁）参照）。

Q　事件が公判前整理手続に付された場合，検察官は，まず何をしなければならないのか。 Q　検察官が証拠を厳選しなければならないのはなぜか。

(ｲ) 被告人側による証拠意見，予定主張等の明示等

被告人側は，検察官から証明予定事実記載書の送付を受け，検察官請求証拠や類型証拠について開示を受けたときは，検察官請求証拠について，証拠とすることに同意（法 326 条）をするかどうか又はその取調べの請求に関し異議がないかどうかの**意見**を明らかにしなければならない（法 316 条の 16 第 1 項）。

プラクティス刑事裁判別冊の 29 頁以下の証拠等関係カードをみると，検察官が平成 29 年 7 月 14 日に請求した証拠について，弁護人が平成 29 年 8 月 3 日に意見を述べていることが分かる。

さらに，被告人側は，証明予定事実その他の公判期日においてすることを予定している事実上及び法律上の主張（**予定主張**）があるときは，裁判所及び検察官に対し，これを明らかにしなければならない（法 316 条の 17 第 1 項）。その際，被告人側においても，事件の争点及び証拠の整理に必要な事項を具体的かつ簡潔に明示しなければならず（規 217 条の 20 第 2 項），証明予定事実を明らかにするに当たっては，事実とこれを証明するために用いる主要な証拠との関係を具体的に明示するなどの方法によって，争点整理及び証拠整理が円滑に行われるよう努めなければならない（規 217 条の 21）。

プラクティス刑事裁判の事件では，弁護人の予定主張記載書面が，平成 29 年 7 月 24 日と同年 8 月 3 日の 2 回に分けて提出されている（別冊 9・10 頁）。

また，被告人側は，証明予定事実の証明に用いる証拠の取調べを請求し（法 316 条の 17 第 2 項），これを速やかに開示しなければならない（法 316 条の 18）。

Q　弁護人は，検察官から証明予定事実記載書の送付及び請求証拠の開示がなされた後，何をしなければならないのか。

Q　法が被告人側に主張明示義務を負わせたのはなぜか。黙秘権との関係で問題は生じないのか。

(ウ) その後の争点及び証拠の整理

検察官は，開示を受けた前記証拠について，意見を明らかにしなければならない（法 316 条の 19 第 1 項）。

検察官は，検察官請求証拠及び類型証拠として開示をした証拠以外の証拠でも，被告人側の前記主張に関連するもの（いわゆる主張関連証拠，後記ウ参照）について，開示しなければならない場合がある（法316条の20第１項前段）。

検察官及び被告人又は弁護人は，以上の手続が終わった後，検察官の証明予定事実あるいは被告人側の前記主張を追加し又は変更する必要がある場合には，速やかに，その証明予定事実を記載した書面の提出及び送付，あるいはその主張を明示しなければならず，いずれも，必要があるときは，速やかに，追加証拠の取調べを請求しなければならない（法316条の21第１項，２項，316条の22第１項，２項）。

ウ　証拠の開示等

公判前整理手続に付された事件において検察官が行うべき証拠開示としては，検察官請求証拠，類型証拠及び主張関連証拠の三つが定められている。このほか，検察官保管証拠の一覧表の交付についても定められている。

(ｱ) 検察官請求証拠の開示

まず，検察官は，**検察官請求証拠**について，請求後，速やかに，被告人側に対し，次の機会を与えなければならない（法316条の14第１項）。

① 証拠書類又は証拠物については，これを閲覧する機会（弁護人に対しては，閲覧・謄写の機会）
② 証人等については，その氏名と住居を知る機会を与え，かつ，その者の供述録取書等のうち，公判期日において供述すると思われる内容が明らかになるもの（当該供述録取書等が存在しないとき，又はこれを閲覧させることが相当でないと認めるときは，その内容の要旨を記載した書面）を閲覧する機会（弁護人に対しては，閲覧・謄写の機会）

(ｲ) 証拠一覧表の交付

検察官は，検察官請求証拠の開示をした後，被告人側からの請求があったときは，速やかに，被告人側に対し，検察官が保管する証拠の一覧表を交付しなければならない（法316条の14第２項）。また，一覧表の交付後，新たに保管することに至った証拠についても，その一覧表を交付しなければならない（同条５項）。

Q　証拠一覧表交付の制度が設けられたのはなぜか。

(ｳ) 類型証拠の開示

また，検察官は，検察官請求証拠以外でも，一定の**類型に該当**し，かつ，特定の検察官請求証拠の**証明力を判断するために重要**であると認められる証拠について，被告人又は弁護人から開示の**請求があった場合**には，その重要性の程度その他の被告人の防御の準備のために当該開示をすることの必要性の程度並びに当該開示によって生じるおそれのある弊害の内容及び程度を考慮し，相当と認めるときは，開示をしなければならない（**類型証拠の開示**。法316条の15第１項前段）。

これによる開示の各類型は法316条の15第１項１～９号及び同条２項で，次のとおり定められている。

Ⅰ　客観的証拠に当たるもの
　①　証拠物
　②　裁判所の検証調書等
　③　捜査機関の検証調書等
　④　鑑定書等
Ⅱ　被告人以外の者の供述録取書等に当たるもの
　⑤　検察官請求証人等の供述録取書等
　⑥　一定の内容を含む参考人の供述録取書等
Ⅲ　被告人の供述録取書等その他に当たるもの
　⑦　被告人の供述録取書等
　⑧　被告人又は共犯者の取調べ状況記録書面
　⑨　証拠物の押収手続記録書面

Q　類型証拠開示の制度が設けられたのはなぜか。

(ｴ) 主張関連証拠の開示

加えて，検察官は，検察官請求証拠及び類型証拠として開示をした証拠以外の証拠でも，被告人側が明らかにした証明予定事実その他の事実上及び法律上の主張に関連するものについて，被告人又は弁護人から開示の請求があった場合には，その関連性の程度その他の被告人の防御の準備のために当該開示をすることの必要性の程度並びに当該開示によって生じるおそれのある弊害の内容及び程度を考慮し，相当と認めるときは，開示をしなければならない（**主張関連証拠の開示**（争点関連証拠の開示ともいう）。法316条の20第1項前段）。

Q　主張関連証拠開示の制度が設けられたのはなぜか。

被告人側は，類型証拠及び主張関連証拠の開示請求において，開示を求める証拠を識別するに足りる事項及び開示が必要である理由等を明らかにする必要がある（法316条の15第3項，316条の20第2項）。

また，類型証拠及び主張関連証拠の開示は，いずれも原則として，速やかに，検察官請求証拠の場合と同様の方法により行われるが，検察官は，必要と認めるときは，開示の時期若しくは方法を指定し，又は条件を付することができる（法316条の15第1項後段，316条の20第1項後段）。

なお，被害者等の保護の観点から，証拠開示に当たり，検察官と弁護人は，相手方に対し，証人等の安全が脅かされないように配慮することを求めることができ（法316条の23第1項，299条の2），検察官は，弁護人に対し，被害者特定事項がみだりに，被告人を含む他人に知られないようにするよう求めることができる（法316条の23第1項，299条の3）。また，検察官は，証拠開示に当たり，一定の要件を満たす場合には，弁護人に対し，証人等の氏名及び住居を知る機会を与えた上で，当該氏名又は住居について被告人に知らせてはならない旨の条件を付したり，被告人に知らせる時期や方法を指定したりすることができるほか，被告人及び弁護人に対し，当該氏名又は住居を知る機会を与えないこととした上で，氏名に代わる呼称や，住居に代わる連絡先を知る機会を与えることもできる（法316条の23第2項，299条の4第1項，2項）。

エ　証拠開示に関する裁定

裁判所は，公判前整理手続に付された事件において，証拠開示をめぐって当事者間に争いが生じた場合などに裁定を行う。

裁判所は，証拠開示の必要性の程度並びに証拠開示によって生じるおそれのある弊害の内容及び程度その他の事情を考慮して，必要と認めるときは，検察官請求証拠については検察官の請求により，被告人側請求証拠については被告人側の請求により，決定で，当該証拠の開示の時期若しくは方法を指定し，又は条件を付することができる（法316条の25第1項）。

また，裁判所は，検察官が検察官請求証拠，類型証拠若しくは主張関連証拠として開示をすべき証拠を開示していないと認めるとき，又は被告人側が被告人側請求証拠として開示をすべき証拠を開示していないと認めるときは，相手方の請求により，決定で，当該証拠の開示を命じなければならない（法 316 条の 26 第 1 項前段）。

裁判所は，これらの請求について決定をするときは，相手方の意見を聴かなければならない（法 316 条の 25 第 2 項，法 316 条の 26 第 2 項）。また，裁判所は，その決定をするに当たり，必要があると認めるときは，検察官，被告人又は弁護人に対し，当該証拠の提示を命ずることができ（法 316 条の 27 第 1 項前段），開示請求について決定をするに当たり，必要があると認めるときは，検察官に対し，その保管証拠で裁判所が指定する範囲に属するものの標目を記載した一覧表の提示を命ずることができる（同条第 2 項前段）。ただし，裁判所は，何人にも，当該証拠及び当該一覧表の閲覧又は謄写をさせることができない（同条 1 項後段，2 項後段）。

裁判所は，検察官又は被告人側の請求に理由がない場合等においては，請求を棄却等する。裁判所の裁定に不服がある場合には，その決定に対し，即時抗告を行うことができる（法 316 条の 25 第 3 項，316 条の 26 第 3 項）。

(3) 公判前整理手続の進め方

裁判所及び訴訟関係人は，公判前整理手続において，前記(2)（26 頁以下）のような準備を行いながら，事件の争点及び証拠の整理を進めていくことになるが，裁判所は，充実した公判の審理を継続的，計画的かつ迅速に行うことができるよう，公判前整理手続において，十分な準備が行われるようにするとともに，できる限り早期にこれを終結させるように努めなければならず（法 316 条の 3 第 1 項），併せて充実した公判の審理を継続的，計画的かつ迅速に行うことができるように公判の審理予定を定めなければならない（規 217 条の 2 第 1 項）。

また，訴訟関係人は，相互に協力するとともに，公判前整理手続の実施に関し，裁判所に進んで協力しなければならず（法 316 条の 3 第 2 項），法及び規則の定める義務を履行することにより，前記審理予定の策定に協力しなければならない（規 217 条の 2 第 2 項）。

公判前整理手続をできる限り早期に終結させるため，裁判所は，検察官及び被告人又は弁護人の意見を聴いた上で，検察官の証明予定事実記載書の提出及び送付並びに検察官請求証拠の取調べ請求の期限を定めなければならず（法316条の13第4項），その他にも訴訟関係人の訴訟行為について**期限**を定めることができる場合がある（法316条の16第2項，316条の17第3項, 316条の19第2項, 316条の21第3項, 316条の22第3項)。裁判所が期限を定めた場合，訴訟関係人がこれを厳守すべきことは当然である（規217条の22)。

プラクティス刑事裁判の事件でも，別冊2～3，6～7頁をみると，裁判所が，両当事者の意見を聴いた上で，書面提出等の期限を定める決定をしていることが分かる。

裁判所は，公判前整理手続を行うために，**公判前整理手続期日**を開き，訴訟関係人を出頭させて陳述させる方法，あるいは訴訟関係人に書面を提出させる方法を採ることができ（法316条の2第2項，316条の6)，更にはこれらを適宜織り交ぜる方法を採ることもできる。

公判前整理手続期日を開く場合には，検察官及び弁護人の出頭は必要的である（法316条の7，316条の8)。被告人は公判前整理手続期日に出頭することができる(法316条の9第1項)。裁判所は, 必要と認めるときは, 被告人に対し，出頭を求めることができる（同条2項)。被告人を出頭させて公判前整理手続を行う場合，その最初の期日で，裁判長は，まず，被告人に対し，終始沈黙し，又は個々の質問に対し陳述を拒むことができる旨を告知しなければならない（同条3項)。

プラクティス刑事裁判の事件でも，8頁で, 裁判所が第1回の公判前整理手続期日を指定し，11～15頁で，3回にわたって公判前整理手続期日が開かれたことが分かる。

また，公判前整理手続においては，事件の争点及び証拠の整理を進めていくために，次のような手続を行うことができる（法316条の5第1～12号)。

①　訴因又は罰条を明確にさせること
②　訴因又は罰条の追加，撤回又は変更を許すこと
③　公判期日においてすることを予定している主張を明らかにさせて事件の争点を整理すること
④　証拠調べの請求をさせること
⑤　④の請求に係る証拠について，その立証趣旨，尋問事項等を明らかにさせること
⑥　証拠調べの請求に関する意見（証拠書類について法326条の同意をするかどうかの意見を含む。）を確かめること
⑦　証拠調べをする決定又は証拠調べの請求を却下する決定をすること
⑧　証拠調べをする決定をした証拠について，その取調べの順序及び方法

を定めること

⑨　証拠調べに関する異議の申立てに対して決定をすること

⑩　証拠開示に関する裁定をすること

⑪　被害者等の参加の申出に対して決定をすること又は当該決定を取り消す決定をすること

⑫　公判期日を定め，又は変更することその他公判手続の進行上必要な事項を定めること

⑦のとおり，裁判所は，証拠決定を行うことができる。前記(1)（24 頁）のとおり，公判前整理手続は，充実した公判の審理を継続的，計画的にかつ迅速に行うことを目的とする。公判審理の主要な部分は証拠調べの手続であり，証拠調べの計画が立てられていなければ，公判審理を継続的，計画的に実施することはできない。したがって，公判前整理手続においては，その終了時までに，裁判所が証拠決定を行い，公判期日においてどのような証拠をどのような順序で取り調べるかといった審理計画が立てられていることが通常の姿であろう。

ただし，予め全ての証拠決定を行っておくことが難しい事案もある。証拠 A の取調べを行ってからでないと，別の証拠 B を採用するべきかどうかの必要性や関連性が明らかにならないような場合もある。

なお，裁判員裁判の対象事件においては，①～⑫に加え，鑑定手続のうち，「鑑定の経過及び結果の報告」以外のもの（鑑定命令等）を行うことができる（裁判員法 50 条）。これは，裁判員が選任されて公判手続が開始された後に，鑑定のために審理が相当期間中断することがないようにするためである。

> Q　公判前整理手続において，法律上，争点及び証拠整理を進めるため，どのような手続を行うことができるとされているか。

(4) 公判前整理手続における実務上の工夫

公判前整理手続について法・規則が予定している手続は，前記(2)・(3)のとおりであるが，公判前整理手続は，単に法律で定められた書面の交換等をしておけばよいというわけではない。前記(1)で述べたように，公判前整理手続で重要なのは，判断者が的確な心証を形成できる充実した公判手続を実現することを念頭に，争点やその判断のために焦点を当てるべき事項を洗い出すため，裁判所，検察官及び弁護人の間でよくコミュニケーションをとるということである。

例えば，公判前整理手続期日が開かれた場合には，通常，口頭でのディ

スカッションを通じて，争点や証拠構造の確認，争点に関する主張の意味合いの確認などが行われている（プラクティス刑事裁判別冊 11 頁）。また，検察官と弁護人が，電話連絡によって争点を明確化するために話し合うといったこともよく行われる（規 178 条の 6 第 3 項 1 号，前記 2 (3)キ（21 頁）参照）。裁判所が，正式な公判前整理手続期日ではない打合せ（規 178 条の 15 第 1 項本文，前記 2 (2)エ（15 頁）参照）を主宰することも多い。

これらのコミュニケーションを重ねることにより，公判で焦点を当てるべき事項は何かがあぶり出されてくるわけである。

さらに，実務では，裁判員裁判の対象事件を中心として公判前整理手続を一層充実させ，迅速化するために，次のような工夫を行っている。

① 事件を公判前整理手続に付した後，早期に打合せを行い，当事者間の準備状況を確認するなどし，当事者間の意思疎通がスムーズにいくよう図ったり，当事者の準備を促すなどする。早い段階から当事者間のコミュニケーションがとられていることは，その後の手続をスムーズに進めるためにも重要である。

② 検察官が，被告人側からの類型証拠開示請求等を待たず，早期に証拠を任意開示することによって，被告人側の検討が迅速に進むよう配慮する。

(5) 公判前整理手続の終了

事件の争点及び証拠の整理を遂げて，審理予定を策定した場合には，公判前整理手続を終了することになる。裁判所は，その終了に当たり，検察官及び被告人又は弁護人との間で，事件の**争点及び証拠の整理の結果を確認**しなければならない（法 316 条の 24）。

Q 公判前整理手続の終結に当たって，争点及び証拠の整理の結果を確認することとされたのはなぜか。

プラクティス刑事裁判の事件でも，第 3 回公判前整理手続期日（別冊 14 頁）で，争点及び証拠の整理の結果の確認が行なわれている。

(6) 期日間整理手続

審理の経過によっては，第 1 回公判期日後において，事件の争点及び証拠を整理する必要が生じる場合もある。そのような場合に，裁判所は，事件を**期日間整理手続**に付することができる（法316条の28第１項）。

事件が期日間整理手続に付された場合，その手続については，公判前整理手続の規定が準用されることになる（法316条の28第２項前段，規217条の29前段）。

Q　期日間整理手続に付す必要があるのは，どのような場合か。

第４　公判手続

この章では，次の図８に示されたような手続をみていく。公判準備を経て行われる公判手続は，まさに刑事裁判の中核となる手続であり，当事者双方が攻撃防御を尽くし，裁判体に的確な心証形成をさせるため，充実した公判審理が行われなければならない。

図８

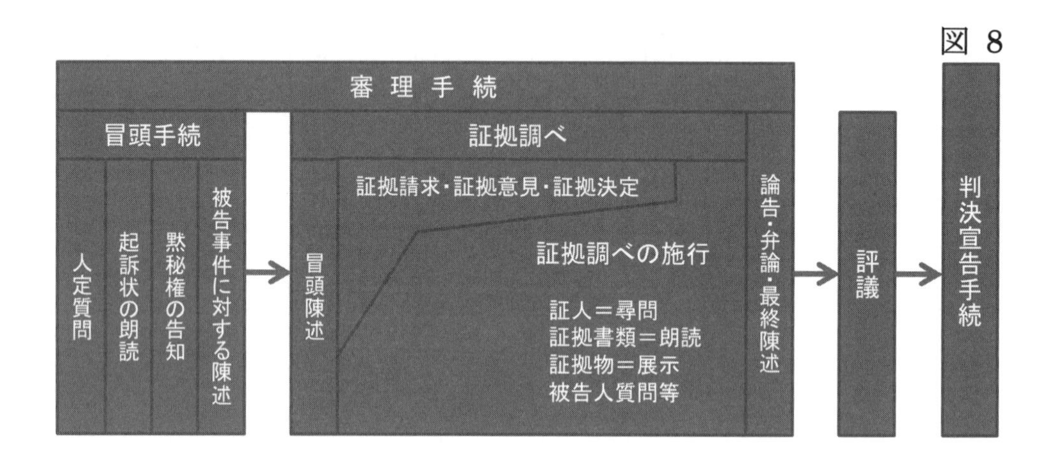

Q　充実した公判審理とは，どのような公判審理なのか。

１　公判手続についての基礎的事項

(1) 公判廷の構成

公判廷を構成するのは，まず，裁判の主体である受訴裁判所，公訴官たる検察官，裁判を受ける被告人，それを弁護する弁護人である。その他，公判廷の訴訟行為を記録する書記官が在廷し，速記官，法廷の警備等を担当する廷吏，国語に通じない者に陳述させる場合の通訳人が在廷することもある。

公判手続において，**検察官**の出席は必要的なものである（法 282 条２項）。

被告事件の種類によっては，被告人の出頭義務が免除される場合がある（法 284 条，285 条）。しかし，本件の被告事件は殺人未遂罪を含むことから，被告人が出頭しなければ開廷することができない場合であり（法 286 条），したがって，被告人の出頭は必要的となる。

弁護人については，**必要的弁護事件**かどうかによって，弁護人が在廷しなければ開廷できない場合かどうかが決まる。本件は，法 289 条１項の必要的弁護事件に当たるため，弁護人の在廷が公判廷の開廷の要件となる。なお，公判前整理手続（前記第３の３(2)（26 頁以下）参照）に付された事件を審理する場合には，その事件が法 289 条１項の必要的弁護事件に該当しないときでも，弁護人がなければ開廷することができない（法 316 条の 29）。

そして，一定の事件の**被害者等**（法 290 条の２第１項参照）又は当該被害者の法定代理人は，検察官に対する申出により，裁判所の許可を得て，被告事件の手続に参加することができる（法 316 条の 33 第１項，２項）。この場合，参加を許された者又はこれらの者から委託を受けた弁護士（以下，「被害者参加人等」という）は公判期日に出席することができる（法 316 条の 34 第１項）。

被害者参加人等は，一定の要件の下，情状証人に対する尋問（後記３(7)ウ(エ)（81 頁）），意見陳述のための被告人質問（後記３(9)（87 頁）），事実又は法律の適用についての意見陳述（後記５(2)（95 頁））ができる。

(2) 訴訟指揮権，法廷警察権

公判手続を円滑に，秩序を保って進めることは，裁判を主宰する裁判所の重要な責務である。このため，裁判所には，訴訟指揮権と法廷警察権とが与えられている。

訴訟指揮権とは，裁判所の有する訴訟の主宰権能に基づき，訴訟の進行を秩序付け，公平かつ迅速に手続を進行させ，最終的な目標である正しい判断（終局裁判）に到達するためにする合目的的活動を行う権限である。

訴訟指揮権は，本来裁判所に属するものであるから，重要な事項についての権限は，明文で裁判所に留保されているが（例えば，法 286 条の２，291 条の２，297 条，304 条３項，304 条の２，309 条３項，312 条１項，２項，４項，313 条，314 条，規 190 条等），その余の訴訟指揮は，迅速かつ機動的に行使されなければならないという性質を考慮して，包括的に裁判長に委ねられている（法 294 条）。

訴訟指揮は，訴訟の進行を円滑に行うためのものであるから，裁判長は，法規の明文ないし訴訟の基本構造に反しない限り，訴訟の具体的状況に応じた適切な処置をすることができる。

法廷警察権とは，法廷の秩序維持のため裁判所が行使する権限である。法廷警察権は事件の具体的内容と直接かかわりなく行使される点で訴訟指揮権と異なる。法廷警察権は，裁判長又は開廷した一人の裁判官が行使すると定められているが（裁判所法71条1項，法288条2項），法廷警察権も訴訟指揮権と同様，本来裁判所に属する権限であって，その行使が迅速を要するため，法が裁判長に委ねていると解されている。

(3) 公判調書

公判期日における訴訟手続については，公判調書を作成して，期日における審判に関する重要な事項を記載することとされている（法48条1項，2項，規44条）。作成者は，書記官であり（規37条，裁判所法60条2項参照），裁判長が認印する（規46条1項）。公判期日における訴訟手続で公判調書に記載されたものは，公判調書のみによって証明することができるとされている（法52条）。

証拠等関係カード（プラクティス刑事裁判別冊29～34頁）には，証拠に関する手続が記録されている。各期日に行なわれた手続に関しては，その期日の公判調書と一体となるものである。

証拠等関係カードの記載について，次頁の図9を使い，必要な限りで説明を加えておく。

なお，刑事訴訟記録は5分類に分けられており，起訴状，公判調書（手続関係）等手続関係書類は第1分類に，証拠等関係カード，証拠書類，公判調書（証言等）は第2分類につづられる。ちなみに，第3分類は身柄関係書類，第5分類は裁判員等選任手続関係書類，第4分類はその他の書類となっている。

図 9

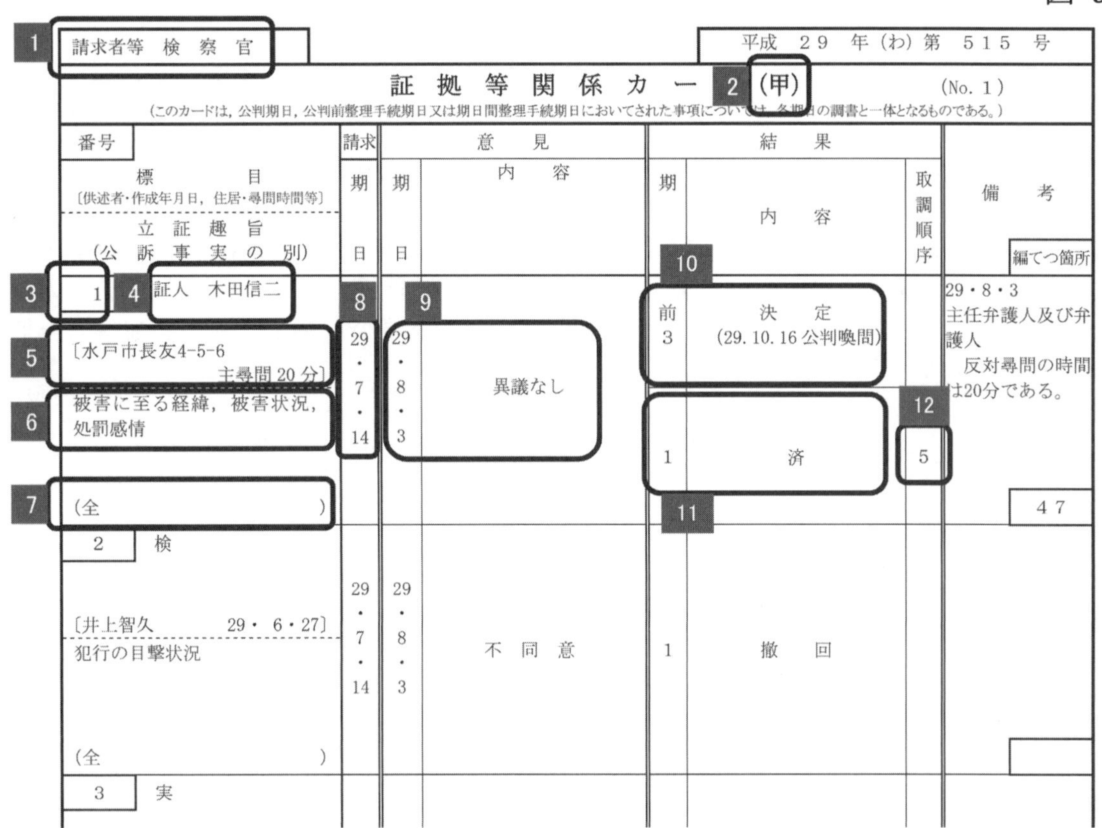

請求者等　検　察　官

平成　２９　年（わ）第　５１５　号

証　拠　等　関　係　カ　ー　ド（甲）　　(No. 1)

(このカードは，公判期日，公判前整理手続期日又は期日間整理手続期日においてされた事項については，各期日の調書と一体となるものである。)

番号 / 標目〔供述者・作成年月日，住居・尋問時間等〕/ 立証趣旨（公訴事実の別）	請求 期日	意見 期日	意見 内容	結果 期日	結果 内容	取調順序	備考 (編てつ箇所)
1　証人　木田信二〔水戸市長友4-5-6　主尋問 20 分〕被害に至る経緯，被害状況，処罰感情（全　）	29・7・14	29・8・3	異議なし	前3	決　定（29. 10. 16 公判喚問）		29・8・3 主任弁護人及び弁護人 反対尋問の時間は20分である。
				1	済	5	47
2　検〔井上智久　29・6・27〕犯行の目撃状況（全　）	29・7・14	29・8・3	不　同　意	1	撤　回		
3　実							

1　当該証拠の取調べを請求した者が記載される。被告人質問を含め，裁判所が職権で取り調べる場合には「職権」と記載される。

2　甲号証は「甲」，乙号証は「乙」と記載される（後記３(4)ア（66 頁）参照）。

3　証拠番号

4　証拠の標目が記載される。よく請求される証拠の表題については，略号が用いられる。検察官に対する供述調書は「検」，司法警察員に対する供述調書は「員」，捜査報告書は「報」，実況見分調書は「実」などとされる（略号表は証拠等関係カードの直前（プラクティス刑事裁判別冊 27～28 頁）につづられている。）。

5　供述調書であれば，供述者と作成年月日，捜査報告書や実況見分調書であれば，作成者と作成年月日，証人であれば，その住所及び尋問時間等が記載される。

6　立証趣旨（後記３(4)イ（67 頁）参照）

7　公訴事実が複数ある場合に，どの公訴事実との関係で請求されているかが記載される。「全」とある場合は，公訴事実全部を意味する。

8　請求日又は期日が記載される。公判前整理手続期日であれば，例えば「前１」と記載され，公判期日であれば単に「1」などとされる。期日以外で請求される場合には年月日が記載される。

9　請求の相手方当事者の意見が述べられた日又は期日と，その内容が記載される。

10　請求された証拠が採用されたか，却下されたか，請求者によって撤回されたかがその日又は期日とともに記載される。

11　証拠が取り調べられた場合「済」と記載される。証人尋問等が２期日以上にわたる場合，それが終わった期日には「済」と表示されるが，そうではない期日（証人尋問は行われたが，終わらなかった期日）には「続行」と記載される。

12　証拠が取り調べられた場合に，その期日中での取調べ順序が記載される。

２ 冒頭手続

(1) 冒頭手続の流れ等

第一審の公判手続は，**審理手続**及び**判決宣告手続**によって構成される。

審理手続は，まず**冒頭手続**から始まり，**証拠調べ手続**を経て，最後に検察官の**論告・求刑**，弁護人の**弁論**，被告人の**最終陳述**等によって終了するのが通常であり，その後裁判所による判決の宣告手続がなされる。これが第一審手続の一般的な型である。

冒頭手続は，おおまかにいうと，次のとおり進められる（プラクティス刑事裁判別冊 19 頁の第１回公判調書参照。なお，実際の言回しは，事件により，また，裁判長及び当事者により異なる）。

	プラクティス刑事裁判を想定した例示
	（裁判長）開廷します。
人定質問	（裁判長）被告人は証言台のところに立ってください。まず，確認しますが，名前は何といいますか？ （被告人）西村伸也です。
	（裁判長）生年月日はいつですか？ （被告人）昭和 41 年１月 16 日です。
	（裁判長）本籍はどちらですか？ （被告人）埼玉県熊谷市大久保町６丁目 701 番地です。
	（裁判長）住所はどちらですか？ （被告人）水戸市光和町４丁目５番６号の成瀬竜也方です。
	（裁判長）職業は何ですか？ （被告人）解体業作業員です。
	（裁判長）それでは，被告人に対する殺人未遂，銃砲刀剣類所持等取締法違反被告事件について審理を行います。
起訴状の朗読	まず，検察官から起訴状の朗読がありますから，聞いてください。
	（検察官）起訴状を読み上げます。公訴事実，被告人は，平成 29 年６月９日午後 11 時 43 分頃，水戸市本田町７丁目８番９号所在のペデストリアンデッキにおいて，第1，・・・・・

	罪名及び罰条，第１，殺人未遂，刑法 203 条，199 条・・・ 以上について，審理をお願いします。
黙秘権の告知等	（裁判長）ここで，被告人に対して説明をしておくべきことがあります。まず，被告人には，黙秘権という権利があります。これは言いたくないことは言わなくともよいというものです。質問があっても，最初から最後まで黙っていることもできれば，答えたくない質問に対してだけ答えを拒絶するということもできます。 もちろん，法廷で発言することもできますが，その場合には，被告人に対して有利であれ，不利であれ，証拠になりますから注意してください。 分かりましたか。 （被告人）はい。
被告事件に対する陳述	（裁判長）そこで，今説明したことを前提にして聞きますが，起訴状の事実について何か言いたいことはありますか。 （被告人）起訴状には，「殺意をもって」とありますが，殺意はありませんでした。被害者に大けがをさせるつもりも毛頭ありませんでした。 （裁判長）弁護人の意見はいかがですか。 （弁護人）被告人が述べたとおり，被告人に殺意はありませんでした。本件は，殺人未遂事件ではなく，傷害事件です。 銃砲刀剣類所持等取締法違反の点は争いません。 （裁判長）被告人は，自分の席に戻ってください。

(2) 被告人に対する人定質問

公判手続は，裁判長が，被告人として出頭している者に対し，起訴状に表示された被告人と同一人であるかを確かめるに足りる事項を問うことから始まる（規 196 条）。これを人定質問と呼んでいる。

人定質問の方式は特に定まったものはないが，実務では，起訴状に記載された被告人の氏名，年齢（生年月日），職業，住居及び本籍（又は国籍）を逐次質問して確認しているのが通常である。

プラクティス刑事裁判の事件においても，第１回公判期日において人定質問が実施され，起訴状記載の住居及び職業が変更されていることが確認されている（別冊 19 頁参照）。

(3) 起訴状の朗読

人定質問後，検察官は，審理の対象を明らかにするため，起訴状を朗読する（法291条1項)。口頭弁論主義の要請により，審理の対象を訴訟の場に上程するという意義があり，被告人側に対しては防御の対象を明らかにする機能がある。起訴状朗読の目的に照らし，朗読すべき事項は，公訴事実，罪名，罰条で足り，その他の事項について朗読する必要はない。

なお，公開の法廷での被害者特定事項又は証人等特定事項の秘匿決定がなされた場合には，起訴状の朗読は，被害者又は証人等の氏名について仮名を用いるなどして，被害者特定事項又は証人等特定事項を明らかにしない方法で行われる（法291条2項，3項，290条の2第1項，3項，290条の3第1項，規196条の4，196条の7)。この場合，検察官は，被告人に起訴状を示さなければならない。

> Q　起訴状は被告人に送達されており，被告人はその内容を承知しているはずであるから，起訴状の朗読を省略したり，要旨を告知するにとどめたりすることもできるのではないか。必ず朗読しなければならないとすると，それは前記第1（1頁）に記載された刑事裁判手続の基本原則との関係で，どのような要請があるからか。

もし，この段階で，公訴事実について不明な点があれば，被告人，弁護人は裁判長に対し，**釈明のための発問を求める**ことができるし（規208条3項)，裁判長自ら検察官に対し**求釈明**をすることもできる（同条1項)。もっとも，公判前整理手続を経た事案では，そのようなことは公判前整理手続の中で解決済みのはずである。

なお，一方の当事者が，規208条3項によって相手方当事者に対する求釈明を行うよう求めることをも「求釈明」と呼ぶ者もあるが，正確を期すると，求釈明は，裁判長が，同条1項によって当事者に釈明を求めることを指すのであって，同条3項の行為は「求釈明を求める」ことである。

> Q　弁護人から，訴因に関して求釈明のための発問を求められた場合に，裁判所が求釈明を行う義務が生じる事項はあるか。
>
> Q　検察官が，訴因に関して裁判所からの求釈明に応じて釈明を行った場合，その事項は訴因の内容となるのか。

(4) 黙秘権及び訴訟法上の権利についての告知

起訴状の朗読後，裁判長は，被告人に対し，終始沈黙し，又は個々の質問に対し陳述を拒むことができる旨を告げるほか（法 291 条 4 項），個々の質問に対し陳述することもできる旨及び陳述すれば被告人にとって不利益な証拠ともなり，また利益な証拠ともなるべき旨を告げる（規 197 条 1 項）。

これらの事項は，弁護人がいる事件では，弁護人から被告人に対してすでに十分説明があったであろうが，次に被告事件に対する陳述を聴くことから，改めて被告人の頭に入れておいてもらうこととなる。裁判長は，この説明が被告人に理解を得られるよう，いろいろ分かりやすい言い方を工夫している。

(5) 被告人及び弁護人の被告事件に対する陳述

黙秘権等の告知後，裁判長は，被告人及び弁護人に対し，被告事件について陳述する機会を与える（法 291 条 4 項）。

この陳述（慣用的に「罪状認否」と呼ばれることもある）は，当事者主義の要請により，検察官の起訴状朗読に対応するという意味で，審理の冒頭段階から被告人側に防御の機会を与えるとともに，事件についての被告人側の概括的な意見を聴くことによって争点を明らかにし，以後の審理方針の明確化に資することを目的とするとされている。起訴状の朗読に対応するものであるから，内容は，それに対応する程度の概括的な主張にとどめるべきである。

Q　被告人側に陳述の機会を与える目的はなにか。前記第 1（1 頁）に記載された刑事裁判手続の基本原則との関係ではどのように考えるべきか。

Q　追起訴や訴因変更が行われたときにも陳述の機会を与えるべきか。

プラクティス刑事裁判の事件では，被告人は，起訴状の殺人未遂の公訴事実について，「起訴状には殺意をもってとありますが，殺意はありませんでした。被害者に大けがをさせるつもりも毛頭ありませんでした」と述べ，殺意を否認する陳述をしている。さらに，弁護人も，被告人と同様に，「被告人に殺意はありませんでした。本件は，殺人未遂事件ではなく，傷害事件です」と概括的に主張し（別冊 19 頁），殺意の有無が争点となることが明らかとなっている。

なお，冒頭手続における被告人の陳述も，公判廷における供述として証拠となる。

第１回公判期日の前後によって扱いの異なる勾留に関する処分（法 280 条１項。後記第５の１(2)（101 頁）参照）や，第１回公判期日前の検察官による証人尋問請求（法 226 条，227 条）及び被告人，被疑者又は弁護人による証拠保全の請求（法 179 条）についての第１回公判期日とは，冒頭手続が終了するまでの手続を指すので，この手続を終えているかどうかによって，それぞれの取扱いが異なることになる。

３　証拠調べ手続

(1) 証拠調べについての基礎的な事項

ア　証拠の分類

証拠調べがどのようなものであるかをみていく前に，証拠について，いろいろ分類があるので，混乱のないようにおおまかに整理しておく。

証拠には，「供述証拠」「非供述証拠」という区別，「証拠書類（書証）」「証拠物（物証）」「証人等（人証）」という区別，「直接証拠」「間接証拠」という区別，「実質証拠」「補助証拠」という区別などがある。どのような観点から必要とされる区別なのかを踏まえなければならない。

(ｱ)　供述証拠と非供述証拠

供述証拠と非供述証拠の区別は，証拠法，特に伝聞法則の適用に関して重要なものとなる。**供述証拠**とは，言語又はこれに代わる動作等によって表現される供述が証拠となるものであり，**非供述証拠**とは，それ以外の証拠である。

(ｲ)　書証，物証，人証

証拠書類（書証），証拠物（物証）と証人等（人証）の区別は，証拠の性質による分類であり，この分類に応じて証拠調べの実施方法が異なっている。これらについては，後記(7)（74 頁）で扱う。

(ｳ)　直接証拠と間接証拠

直接証拠と間接証拠の区別は，事実認定において重要なものとなる。

要証事実（例えば，被告人と犯人とが同一であること）を認定する際には，それを直接証明できる証拠（例えば，犯人を識別する目撃者や被害者の供述）がある場合と，証拠から認められる事実（例えば，犯行時に現場に残された凶器についていた指紋の特徴と被告人の指紋の特徴が合致したこと）から要証事実をさらに推認するような場合とがある。

前者の要証事実を直接証明できる証拠を**直接証拠**という。直接証拠が十分信用できれば（信用性があれば），そのまま要証事実が認定できるということになる（図 10）。

図 10

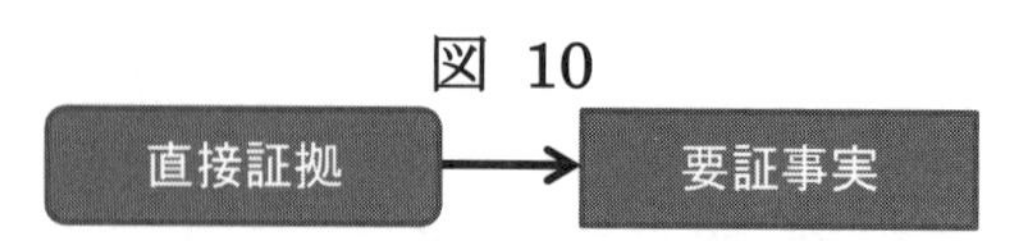

後者のような場合，証拠Aから認められる事実Bからさらに要証事実Cが推認されるとすると，このBが**間接事実**と呼ばれ，間接事実を認定させる証拠Aが**間接証拠**と呼ばれる（図 11)。一つの間接事実で要証事実が推認できるという事案もあるが，複数の間接事実を総合して要証事実を推認するという事案も多い。

図 11

間接証拠による認定の構造は，直接証拠による認定の場合に比べて複雑である。要証事実が認定されるには，間接証拠の信用性があり，間接証拠から間接事実が認定できること（間接証拠の証明力があること)，かつ，間接事実から要証事実が推認できることが必要となる。間接事実が要証事実を推認させるかどうかの判断に当たっては，その間接事実が要証事実を推認させる理由をしっかりと考える必要がある。

上記の，現場に残された凶器についていた指紋の特徴が被告人の指紋特徴と合致したとする例を取り上げてみよう（当該凶器が事件に使用された凶器であることは容易に認められることとする)。この事実はどのような意味合いを持つだろうか。被告人が犯人であるならば，凶器に被告人の指紋が残るはずであり，凶器に被告人の指紋の特徴と合致した指紋があるのは，被告人が犯人であることの表れであるといえそうである。しかし，被告人が犯行時の前や後に当該凶器を手にした可能性が合理的にあり得るのであれば，直ちに被告人が犯人であると認めることはできない。例えば，この凶器が被告人の所有物であったとすれば，そこに被告人の指紋がついていてもおかしくはないだろうし，犯行後現場を通りかかった被告人が事情を知らずに触ってしまったかもしれない。つまり，その指紋が犯行時に犯人によってつけられたものであると認められれば，その指紋と被告人の指紋の特徴の合致は，被告人イコール犯人であることについての重要な間接事実となる。

(エ) 実質証拠と補助証拠

実質証拠と補助証拠の区別も，事実認定において重要なものとなる。

要証事実の存否を直接又は間接に証明するのが**実質証拠**である（上記の直接証拠，間接証拠を問わない)。これに対して，実質証拠の信用性や証明力の強弱に影響を及ぼす事実を**補助事実**といい，その補助事実を証明する証拠を**補助証拠**という。そして，補助証拠のうち，実質証拠の証明力を弱める補助証拠を**弾劾証拠**と呼び，強める補助証拠を**増強証拠**と呼ぶ（図 12)。

図 12

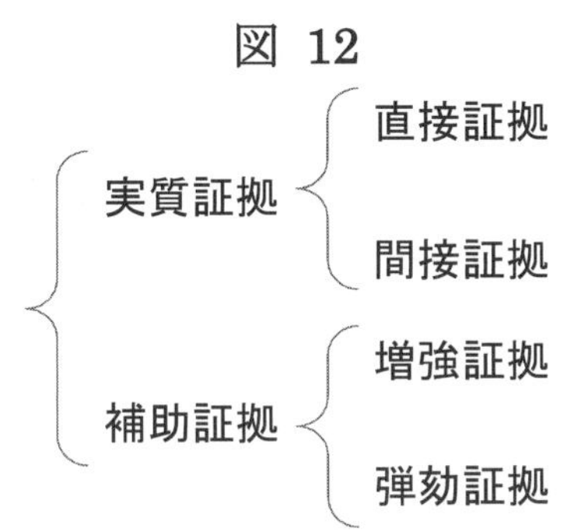

もっとも，公判前整理手続や公判手続においては，以上のような各区別があまり意識されないままやりとりがなされることがある。どのような文脈で用語が用いられるかによって，自ずと「書証と言及されたが，供述証拠という意味で使われたのだな」などということが分かる。

イ　証拠法に関する条文が実際の手続でどのように適用されているか

証拠調べの手続をみていくに当たっては，刑事訴訟法の証拠に関する諸条文を中心とする証拠法が，実際の刑事手続の文脈の中でどのように使われるのかを理解しておかなければならない。

立証責任を負う検察官が証拠調べに入っていくつかの種類の証拠を請求したとする。前記 19 頁で触れた「次の手」を含め，その後の手続はどうなるのか，証拠法の復習を兼ねて，ここでみてみよう。

以下でみていく証拠をめぐる手続の流れは，証拠の性質，伝聞法則の例外の意義，弁護人の意見の趣旨等によって決まってくるものであり，単にこれらを丸暗記することは相当でない（表面的な理解にとどまると，実務上の例外的な事態等に柔軟に対応できない)。むしろ，証拠法の本質に遡ることが適切な手続の流れの理解に不可欠であることを再確認しよう（また，以下では，正確には被告人又は弁護人の意見というべきところを単に弁護人の意見と表記している)。

(ｱ) 証人，証拠物

図 13

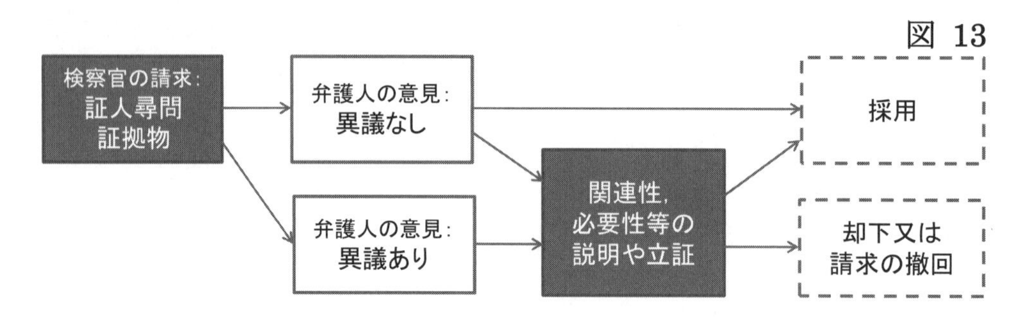

検察官が，公判で，証人Ａの尋問又は証拠物Ｂの取調べの請求をしたとしよう。これらは法 326 条の同意が問題となる種類の証拠ではないから，弁護人の意見は，図 13 に例示したとおり，「異議なし」「○○の理由で異議あり」ということが考えられる（後記(5)イ（70 頁）参照）。

なお，実務上は「しかるべく」という意見が述べられることもある。この言葉を日常で聞くことはまれになってきているが，刑事手続では「裁判所において適切に判断されたい」というような意味で使用される。

弁護人の意見が「異議なし」の場合は，明らかに，証人Ａの尋問又は証拠物Ｂの取調べの必要性等があり，証人尋問や証拠物を採用するべきであるというときも多いであろう。そのようなときには，裁判所もＡの証人尋問又は証拠物Ｂの取調べを行うという決定を行う（Ａの証人尋問又は証拠物Ｂを採用する）こととなろう。

しかし，弁護人の意見が「異議なし」の場合でも，検察官の主張等からみて関連性，必要性等に疑問があるときがあるかもしれない。そのようなときは，裁判所から，検察官に対して，証人Ａの尋問又は証拠物Ｂの関連性や必要性等，採用しなければならない理由を尋ねられることになろう。

次に，弁護人の意見が「異議あり」の場合，どのような訴訟進行となるのかをみてみる。

まず，弁護人の意見が単に「異議あり」の場合，裁判長がその趣旨を確認することとなる。趣旨次第で，その後の進行が変わることもあるからである。

「異議あり」の趣旨として，証人尋問や証拠物の取調べの関連性がないとか，必要性がない，という場合でも，検察官の主張や立証趣旨からその証人尋問や証拠物の関連性，必要性が分かることもある。そのようなときには，検察官としては，改めて立証趣旨等について裁判所に説明することになる。関連性や必要性について検察官が説明を行い，また弁護人の考えも聴いた結果，裁判所が関連性，必要性を認めて証拠採用するというときもあろう。

しかし，証人尋問や証拠物の関連性や必要性について立証が必要ということもありうる。例えば，別の証人Cがある事項について証言を行ってはじめて証人Aの尋問の必要性や証拠物Bの関連性が判明するという場合である。そのような場合には，裁判所がとりあえず問題となっている証人尋問や証拠物等の採否を留保し，証人Cの証言を得てから採否の決定をすることになる（この証人Cの証言が，証人Aの尋問の必要性や証拠物Bの関連性の立証になるということになる）。

当該証拠に係る立証事項について代替的な手段によって立証ができたような場合や，関連性や必要性の立証が十分できなかったと判断されるときには，検察官が，裁判所が採否を判断する前に当該証拠調べ請求を撤回するということもある。

また，弁護人や裁判所が証人尋問や証拠物の関連性，必要性等について異議，疑問を呈した場合に，検察官が改めて検討した結果，関連性や必要性の立証を行うまでもなく，当該請求を撤回することもある。明らかに関連性，必要性等のない請求が維持されている場合には，裁判所が請求を却下するということもあろう。

検察官が証人尋問や証拠物の取調べを請求した場合，その後の手続にはこれまで述べたようなバリエーションがありうるから，検察官としては，証人尋問の必要性等について裁判所に説明し，場合によってはそれを立証し，その後の手続に備えなければならないかもしれないから，状況に応じて，事前準備の段階からそうした検討をしておく必要があるのである（前記第3の2(3)（17頁以下）参照）。

そのような検察官の対応をスムーズにすることが審理の迅速化や充実につながるのであり，だからこそ，事前準備において，弁護人が証拠に対する意見の見込みを検察官に通知すること（前記第3の2(3)ウ（19頁））が重要なのである。

なお，供述調書等の書証の採否の検討に当たっては，後述のとおり，伝聞性に関わる部分が検討の中心になることが多いが，関連性及び必要性は，証拠の採否一般において検討すべきものであるから，書証の採否の場面においても，当然問題となることがある。

Q　検察官が「犯行目撃状況」を立証趣旨とする証人Aの尋問，「犯行に使用された凶器の存在及び形状」を立証趣旨とする証拠物Bの取調べを請求した。

(1) 弁護人の意見は，「被告人は，公訴事実に係る犯行を行っていない。したがって，証人Ａの尋問や証拠物Ｂの取調べには異議がある」というものであった。検察官としては，これらについてどのように対処するべきか。

(2) 弁護人の意見は，「検察官は，犯行状況に関して被害者Ｂを別に証人尋問請求しているので，証人Ａの尋問は不必要であり，異議がある」というものであった。検察官としては，これについてどのように対処するべきか。それは，事案の争点や目撃証人Ａの証言する内容によって異なってくるのか。

Ｑ　検察官が取調べを請求した証拠物Ｂについて，弁護人は当該証拠物が違法収集証拠であるとみていた。弁護人は，いつ，どのような形でその意見を述べることができるのか。いつその意見を述べるのが相当か。それに関する判断の手続はどのようなものになるのか。

Ｑ　殺人の事案において，検察官が，被害状況等を立証趣旨として，遺体の様子を撮影した写真の取調べを請求した場合，裁判所は，その採否に当たり，どのような点を考慮すべきか。

(ｲ) 供述調書（被告人以外のもの）

図 14

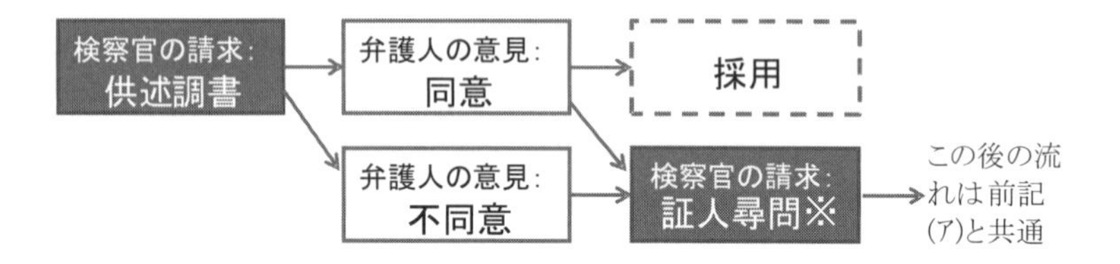

供述調書は，法326条の同意が問題となる種類の証拠であるから（後記(5)ア（69頁）参照），検察官がこれを証拠調べ請求した場合，弁護人の意見は同意又は不同意となる。不同意となった供述調書は，一部の例外を除いて証拠能力がないから，検察官としては，必要があれば，供述調書の供述者に法廷で証言をしてもらうことによって立証を行うことになる。

法326条の「同意」の意義については，理論的には反対尋問放棄説もあるが，実務では，証拠能力を付与する意思表示という考え方が強いように思われる。つまり，同意は，当該供述調書がそのまま証拠として採用され，証拠能力のあるものとして取り扱われても構わないという相手方当事者の意思の表れであり，逆に，不同意は，これに反対するということである。そうすると，不同意の意見が述べられた場合には，当該供述調書を証拠請求した側としては，これに代わる立証が必要となる。もっとも，最近では，同意を「伝聞性の解除」として説明する説も有力である。

当初請求された供述調書の取扱いについては，①　証人尋問の実施前に請求が撤回される，②　証人尋問の実施後に請求が撤回される場合のほか，③　証人尋問の結果を受けて法321条1項2号後段等の伝聞例外規定に基づき証拠採用するように求められる場合もある（後記(ｵ)（58頁）参照）。

ただし，これらが妥当するのは，供述調書が，そこに記載されている内容の真実性を立証するため，それが信用できることを前提に請求されている場合である。例えば，供述者の供述が変遷していることを立証しようとする場合には，調書上の供述の存在自体が問題であり，法326条によって証拠能力が付与されるという問題ではなくなる。

なお，裁判員裁判を契機として，的確な心証を形成するためには，犯罪事実や重要な情状に関する供述は，供述調書等の書面を朗読させるのではなく，法廷で証人等から直接聴くべきであるとの考え方が広がっている。弁護人の不同意の意見も，そのような観点から述べられることがある。また，検察官においても，例えば，仮に証人が検察官調書と異なる供述を始めたときでも，すぐに法321条1項2号による書面の請求を考えるのではなく，なるべく法廷で質問することによって，供述の変遷状況や調書上の供述と公判における供述の信用性等について，その場で判断者が心証をとれるような尋問を工夫するようになっている。

Q　証人尋問を迅速に済ませるには，供述調書のうち，反対尋問権を行使したい部分のみを不同意とし（一部同意），尋問はなるべく争いのあるところに絞って行うべきではないか。このような取扱いは，前記第1（1頁以下）記載の刑事手続の基本原則との関係で，どのような問題があるか。

(ｳ) 実況見分調書

図 15

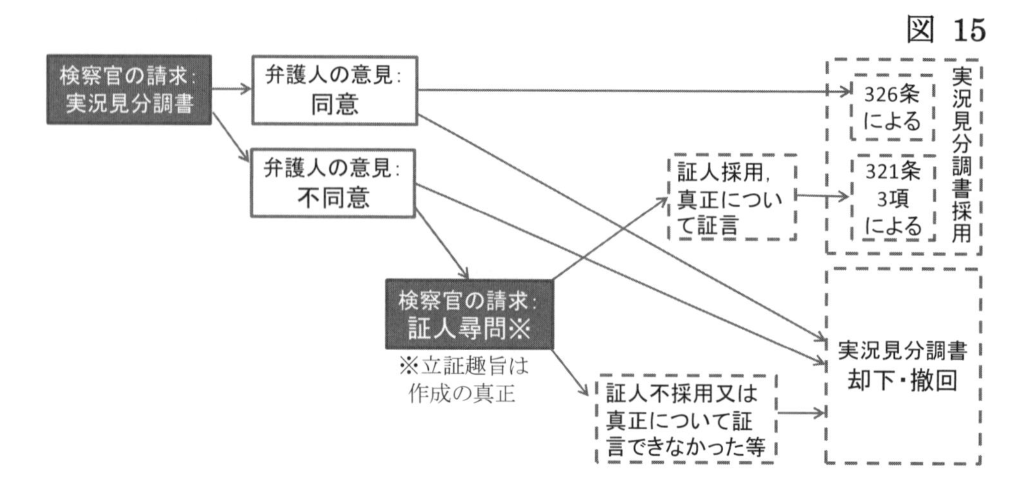

実況見分調書は，法 326 条の同意がなされない場合であっても，法 321 条 3 項によって証拠能力を獲得することがある。したがって，検察官が請求した実況見分調書に対して，弁護人が不同意の意見を述べた場合，検察官としては，作成の真正について供述を得るべく，実況見分調書の作成者の証人尋問を請求することとなる。

Q　作成の真正とは何か。なぜ作成者が，真正に作成されたものであることを証言すると，実況見分調書に証拠能力が備わることになるのか。

作成の真正についての証人尋問は，例えば，次のようなものとなる。

実況見分調書の作成者の主尋問	・・・ (検察官) 証人は本件に関して実況見分を行ったことがありますか。 (証人) はい，あります。 (検察官) いつですか。 (証人) 平成○年○月○日です。 (検察官) どこで，実況見分を行ったのですか。 (証人) 本件の現場である○○市○○の○丁目○番○号付近です。 (検察官) なぜ，実況見分を行ったのですか。 (証人) 目撃者○○さんの立会いを得て，現場の状況，目撃状況及びその時の位置関係などを明らかにするためです。 (検察官) そうすると，目撃者の○○さんを立会人とした

のですね。
(証人) はい。

(検察官) あなたの補助者はいましたか。
(証人) 同僚の○○巡査に補助をお願いしました。

(検察官) その経過と結果を書面にまとめましたか。
(証人) はい。

(検察官) その書面の作成日付と表題を述べてください。
(証人) 平成○年○月○日付け実況見分調書です。

(検察官) 作成名義は誰ですか。
(証人) 私です。

(検察官) 同一性の確認のために甲第○号証の実況見分調書を示します。証人が作成した実況見分調書はこれですか。
(証人) はい。

(検察官) 1枚目にある署名押印はあなたのものですか。
(証人) はい。

(検察官) この実況見分調書には，あなたが○○さんの指示説明に基づき，○○巡査を補助者として行った実況見分の経過と結果をありのまま正確に記載しましたか。
(証人) はい。間違いありません。

・・・

以上の尋問に加えて，検察官は，当該実況見分の方法や実施状況について尋問を行い，実況見分者が相当な方法により真摯に実況見分を行ったことを明らかにすることになる。

なお，作成の真正についての証人尋問の際に，被告人側から実況見分調書の記載内容の真実性についての尋問がなされることもあるが，実況見分時の観察や実況見分調書の記載の正確性などを確認する範囲である限り，反対尋問として許容されると思われる。

もちろん，法321条3項によって付与される証拠能力は，当然に，実況見分調書としてのそれである。

Q　そもそも，実況見分調書で立証できることは何か。実況見分調書は本来何を立証するための書類なのか。

Q　表題が「実況見分調書」であれば，全て法321条3項の対象となるのか。逆に，「検証調書」「実況見分調書」以外の表題の文書（例えば,「写真撮影報告書」）であっても同項の対象となることがあるのか。また，実況見分調書を統合して作成された，プラクティス刑事裁判の甲第11号証及び12号証（別冊39〜43頁）はどうか。

Q　捜査官が被害者や被疑者に被害・犯行状況を再現させた結果を記録した実況見分調書について，検察官が，再現されたとおりの犯罪事実の存在を立証するために取調べ請求したのに対し，弁護人が不同意と意見を述べたとする。この実況見分調書が証拠能力を具備するためには，どのような要件を満たす必要があるか。

例えば，弁護人が「指示説明に現場供述が含まれる」という理由で実況見分調書を不同意とした場合などには，手続の流れは図15のとおりには進まないことが多いであろう。作成の真正について作成者の証言を得ても，指示説明が現場供述なのであれば，その部分が供述としての証拠能力を獲得するわけではないからである。裁判所としても，実況見分調書に対する不同意の趣旨を確認するなどして，手続の運営を図るべきである。

Q　被告人が被害者を刺したことを争っている事案において，弁護人が，「立会人（目撃者）の指示説明欄に『ここで被疑者が被害者を刺した』とあるのは，現場供述である」という理由で検察官請求の実況見分調書を不同意とした場合，検察官としてはどのようにその後の手続を進めるべきか。被害者がここで刺されたことを立証したい場合と，被疑者が被害者を刺したと目撃者が述べている地点がここであることを立証したい場合とに分けて考えよ。

さらに，証拠が採用されることは，あくまで立証の手段であって目的ではないから，当該実況見分調書がそのまま証拠として採用されることに拘らなくともよいということもある。弁護人が一部不同意という意見を述べた場合で，検察官としては，その部分がなくとも立証は可能と考えるようなとき（例えば，立会人の指示説明部分が不同意でも，現場の状況だけ分かればよいと判断されるようなとき）には，同意部分のみが採用されればそれで足り，不同意とされた部分は撤回でよい。また，立会人を証人尋問した際に，口頭で現場の様子について語ってもらった上で，（目的にもよるが，供述を明確にするため又は同一性を確認するために）実況見分調書に添付されていた写真を示して確認してもらうということでも目的が達せられることもあろう。

(ｴ) 被告人の自白調書等

図 16

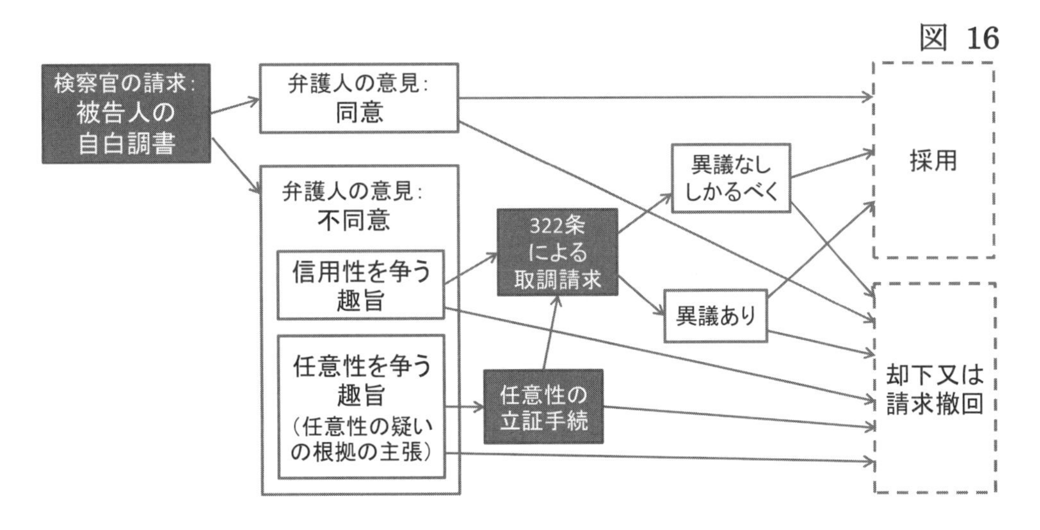

法 326 条の「同意」の意義については，理論的には反対尋問権の放棄を意味するとの説もあるが，実務では，証拠能力を付与する意思表示という考え方が強い。最近では，同意を「伝聞性の解除」として説明する説も有力である。

法 322 条 1 項は，被告人の供述調書について，自白調書をはじめ被告人に不利益な事実の承認を内容とするものである場合等には，証拠とすることができると定めている。ただし，任意にされたものでない疑いがあるときには証拠とすることができない(法 319 条 1 項，法 322 条 1 項ただし書)。

したがって，もしも，弁護人の不同意の趣旨が信用性を争うにすぎない場合（任意性には争いがない場合）には，検察官は，当該供述調書が不利益な事実の承認を内容とするもの等であれば，これを法 322 条によって取り調べられたいと請求するのが通常である。

弁護人が任意性を争う場合には，実務上，任意性に疑いがある事情を具体的に特定して主張しなければならないこととされている。この限度で弁護側に特定させる理由は，①　そうしないと，およそあらゆる疑いがないことを検察官が立証しなくてはならないこととなるが，それは「悪魔の証明」を強いることに等しいこと，②　その一方で，被告人にとっては，自己の体験した事実である上，罪体に関する事実ではないので，この点について明確にさせることが不当な負担を与えるものとはいえないこと，などである。

そのような具体的な主張があった場合に，なお被告人の供述調書を証拠として採用してもらいたいときには，検察官は任意性を立証しなければならないこととなる。

Q　検察官が，被告人の自白調書の任意性を立証したい場合には，どのようにこれを行っていくのか。

被告人の供述調書の証拠能力という側面からの説明は上記のとおりであるが，そもそも，被告人は，常に法廷にいるので，まずは被告人質問を実施することが直接主義・公判中心主義の趣旨に沿うものである。このような観点から，実務では，被告人の供述調書について，弁護人の同意，不同意の意見にかかわらず，証拠決定は留保したまま被告人質問を先行して行い，その終了後に，更に供述調書まで取り調べる必要性があるか否かを検討した上で，証拠決定されることが多く，検察官が自主的に証拠調べ請求を撤回することもある。

(オ) 証人尋問の結果等により請求が可能となるもの

なお，公判での証人尋問等の結果が判明しないと，証拠の取調べ請求の可否・採否やそれに代わる手段等についての予測がつかないこともある。

例えば，法 321 条 1 項 2 号後段の検察官調書を例にとってみよう。同号によって検察官調書が証拠能力を有するのは，当該調書の供述者が，公判期日等において，検察官調書作成時に述べたことと相反するか又は実質的に異なった供述をした場合である。したがって，検察官が同号による請求ができるのは，必然的に，公判期日等における供述の後ということになる。

Q　法 321 条 1 項 2 号後段の要件である「相反性」，「特信性」のそれぞれの意義はどのようなものであり，また，どのような場合にこれが認められるか。

Q　検察官は，「相反性」，「特信性」を立証するために，どのような訴訟活動を行うべきか。前記第１（1 頁以下）記載の刑事訴訟の基本原則との関係に照らして，あるべき姿はどのようなものと考えられるか。

Q　公判前整理手続において，検察官立証の柱である目撃者の検察官調書について弁護人が不同意の意見を述べたのに対し，検察官は，同調書を法 321 条 1 項 2 号後段に基づいて取調べ請求した。裁判所は，どのように対処するべきか。

同様のことは，法 328 条による請求（例えば，弁護側が証人の重要な証言部分について弾劾するため，当該証人が異なる供述を行っていた供述調書の部分を証拠調べ請求するといった場合）にもあてはまる。

もちろん，事前の情報収集等によって，証人が供述調書と異なる供述をしそうだという予測ができる事案はあろうから，当事者としては，尋問の場面のみならず，その後どのように対応するかをも含め，準備を怠らないようにするべきである。

Q　法 328 条により許容される証拠は，どのようなものか。弁護人が，警察官の作成した捜査報告書の中に，検察官が取調べ請求した証人Aの証言内容と齟齬する内容のAの供述が記載されている（Aの署名・押印はない。）として，その捜査報告書を法 328 条により取調べ請求した場合，裁判所は，採用することができるか。

(ｶ) その他の証拠

刑事訴訟においては，さまざまなタイプの証拠がありうるから，以上に紹介した以外の各種の証拠をめぐる手続の流れについても考えておく必要がある。

Q　「捜査報告書」とはどのような性質の書面なのか。検察官が証拠調べ請求した捜査報告書が弁護人によって不同意とされた場合に，検察官がなおその内容を立証したいときはどうすればよいのか。

Q　弁護人から検察官に対して，検察官が証拠調べ請求予定の
①　医師作成の被害者の死因に関する鑑定書
②　前科調書（検察事務官作成）
③　犯罪歴照会結果報告書（司法警察員作成）
について，いずれも不同意という意見を述べる予定であるという連絡があった。検察官としては，これら 3 通の書面に関して，証拠の採否の手続はどのようなものになると予想して準備を行っていくべきか。

Q　前科証拠を被告人と犯人の同一性の証明に用いることができるのは，どのような場合か。

(2) 冒頭陳述

	（裁判長）それでは，ここから証拠調べの手続に入ります。
検察官の冒頭陳述	（裁判長）まず，検察官から，証拠によって証明しようとする事実や証拠調べの着眼点などについて説明してください。 （検察官）それでは，検察官の青山から，証拠によって証明しようとする事実，本件の争点や，証拠調べにおいて皆さんに着目してほしい点を説明します。これを「冒頭陳述」といいます。 皆さんには，「はじめに」という紙（※　プラクティス刑事裁判別冊 21 頁）をお配りしますが，これは，これから申し上げることのポイントをまとめたものです。まずは，私の申し上げることに耳を傾けてください。 まず，検察官が起訴している事実のあらましをお話しします。 被告人西村伸也は，勤務先の同僚であった被害者木田信二さんとの間で，かねてからいさかいがありました。事件当日，被告人は，酒を飲んで，木田さんと電話で口論になり，包丁を持って水戸駅前にいた木田さんに会いに行きました。その場で，被告人は，木田さんからばかにされ，かっとなり，とっさに殺意を生じました。そして，被告人は，木田さんの腹を包丁で突き刺し，大けがを負わせました。なお，この犯行の際に，正当な理由なく包丁を携帯していた点も，殺人未遂罪と合わせて起訴しています。 私は，先ほど，被告人に殺意が生じた，と言いました。しかし，被告人は，殺意を争っています。 ここでいう『殺意』は，皆さんが普段お聞きになる言葉とは少し違っているかもしれません。本件のように，突発的に危険な行為に及んで人に大けがを負わせた事案では，「人が死ぬ危険性が高い行為を，そのような行為であると分かって行った」場合には，殺意があったと判断され，傷害罪ではなく殺人未遂罪として処罰されます。検察官は，これからの証拠調べによって，被告人は，「人が死ぬ危険性が高い行為を，そのような行為であると分かって行った」ということを明らかにしていきます。 ここで，証拠調べにおいて，皆さんによく見ていただきたい三つのポイントを申し上げます。 第１に，被告人が使った包丁の危険性です。この後に

使われた包丁をお示ししますので，よく見ていただきたいと思います。

第２に，被告人が，木田さんに対して，腹部をめがけて包丁を突き出したかです。木田さんが刺されたとき，木田さんから見てどの位置にどのような体勢で被告人がいたのかについて，よく木田さんの話を聞いていただきたいと思います。

第３は，被告人が木田さんに負わせた傷です。木田さんの傷についての捜査報告書を見て，木田さんの緊急手術を行った藤本医師の証言を聞いていただきます。傷の場所や深さに着目してください。脅すためというだけで被害者がこのような傷を負うのかよく考えていただきたいと思います。

また，皆さんには，被告人に殺意があったか否かに加え，判断した罪を前提に，被告人にどの程度の刑罰を与えるべきかについても決めていただきます。検察官としては，刑を決めるに当たり，傷害の結果が重要なポイントであると考えています。なお，先ほど申し上げた経緯に関し，被告人に酌むべき事情があるのかについても見ていただきたいと思います。

弁護人の冒頭陳述

(裁判長) 続いて，弁護人からも冒頭陳述をしてください。

(弁護人) 弁護人から，被告人側の主張や証拠調べにおいて着目してほしい点を説明します。

弁護人からも「冒頭陳述」と題した紙（※　プラクティス刑事裁判別冊 22 頁）をお配りしますが，まずは私の申し上げることに集中して聞いていただきたいと思います。

皆さん，西村伸也さんには，殺意はありませんでした。

西村さんは，かつて木田信二さんに鉄パイプで殴られたことがありました。その木田さんに侮辱され，西村さんは，木田さんを脅そうと包丁を持って水戸駅前に向かいました。そこで西村さんは更に木田さんに侮辱され，木田さんを脅すために，体と腕の間を狙って包丁を突き出したのです。すると，木田さんが西村さんの腕をつかんできたので，包丁が木田さんのおなかに刺さってしまい，結果として木田さんは大けがを負いました。これがこの事件のあらましです。

証拠調べにおいては，西村さんが木田さんに近寄ってから，西村さんがどのように包丁を突き出し，その包丁がどのように木田さんのおなかに刺さったのかについ

		て，西村さんの話に耳を傾けてください。そして木田さんの話もよく聞いてほしいと思います。 また，西村さんと木田さんの間には，これまでどういうことがあったか，西村さんの話をよく聞いていただきたいと思います。西村さんが木田さんを脅そうとして包丁を突き出した理由がよくお分かりいただけると思います。 また，西村さんの刑罰を決めるに当たっては，今述べた点に加え，西村さんの現在の気持ちや，西村さんの更生環境について，西村さんの知人である成瀬竜也さんや西村さん自身の話をよくお聞きください。

冒頭手続が終わった後，証拠調べが開始されることになるが（法 292 条本文），証拠調べの冒頭に検察官は証拠により証明すべき事実を明らかにしなければならない（法 296 条本文）。これが**検察官の冒頭陳述**である。

検察官の冒頭陳述は，事件の概要及び立証方針を明示することにより，①　裁判所に対して，審理方針の樹立と証拠調べに関する適切な訴訟指揮を可能にするための資料を提供するとともに，②　被告人側に対して，具体的な防御の対象を示すことによって防御の便に資するという機能を有するとされている。

もっとも，公判前整理手続を経た事件においては，すでに証拠の採否や審理計画の策定は終わっているから，これらの機能を重視する必要はない。

裁判員裁判において，当事者が冒頭陳述をする際には，公判前整理手続における争点及び証拠の整理の結果に基づき，証拠との関係を具体的に明示しなければならない（裁判員法 55 条）。冒頭陳述は，裁判体，とりわけ事件に初めて接する裁判員に，①　争点が的確に把握できるように，事件のあらましと立証方針を分かりやすく示し，②　これから始まる証拠調べのロードマップを示すものである。また，冒頭陳述は，公判前整理手続における争点及び証拠の整理の到達点であり，その後の審理の骨格をなすものであるから，簡潔で明快なものでなければならない。

この節のはじめに検察官の冒頭陳述を再現してみたが，これは，プラクティス刑事裁判別冊 21 頁のような書面を使って，検察官が上記のような考え方に基づいて冒頭陳述をするとこのような姿になるのではないかという想定に基づいている。

冒頭陳述は証拠により証明すべき事実を具体的に明らかにすることが目的であるから，検察官は，証拠とすることのできない資料又は証拠としてその取調べを請求する意思のない資料に基づいて裁判所に事件について偏見又は予断を生ぜしめるおそれのある事項を述べることができない(法296条ただし書)。

検察官の冒頭陳述の後，裁判所は被告人又は弁護人にも証拠により証明すべき事実を明らかにすることを許すことができる（規198条)。これは，検察官の冒頭陳述に対して，当事者主義の尊重から，被告人又は弁護人にも同様の冒頭陳述を許すことを明らかにしたものである。その時期については，検察官の冒頭陳述の後という制約があるだけで，その直後でも，検察官の一応の立証が終了し被告人側の立証の段階の初めでもよい。

ただし，公判前整理手続に付された事件については，被告人又は弁護人は，証拠により証明すべき事実その他の事実上及び法律上の主張があるときは，検察官の冒頭陳述に引き続き，**被告人側の冒頭陳述**によりこれを明らかにしなければならない（法316条の30)。

この節の初めで再現してみた弁護人の冒頭陳述も，弁護人の主張及び証拠調べにおける着眼点を簡潔にまとめるという発想に基づいている。

Q　冒頭陳述はどのような目的で行われるのか。公判前整理手続を経た事件における冒頭陳述の機能はどのようなものか。公判前整理手続を経た事件においては弁護人も冒頭陳述を行うこととされているのはなぜか。

(3) 公判前整理手続の結果顕出等

公判前整理手続の結果顕出	(裁判長) さて，裁判所，検察官及び弁護人は，本件の起訴後，本件の争点は何か，そして，その判断のためにどのような証拠調べをしたらよいかを話し合ってきました。これを「公判前整理手続」といいます。 ここで，その公判前整理手続の結果のあらましをお話ししておきたいと思います。・・・ ・・・このように，本件では，今日と明日にどのような証拠調べを行うかが予め決まっています。 本日は，検察官が取調べを請求した証拠書類を何点か調べた後，木田信二さんと井上智久さんの証人尋問，医師である藤本和男さんの証人尋問を行った後，被告人質問を行うことになっています。 明日は・・・

公判前整理手続に付された事件を審理する場合には，裁判所は，公判の審理を公判前整理手続において定められた予定に従って進行させるように努めなければならず（規 217 条の 30 第 1 項)，訴訟関係人は，公判の審理が公判前整理手続において定められた予定に従って進行するよう，裁判所に協力しなければならない（同条 2 項)。

そして，前記(2)（63 頁）のとおり，被告人又は弁護人は，証拠により証明すべき事実その他の事実上及び法律上の主張があるときは，検察官の冒頭陳述（法 296 条本文）に引き続き，その主張を明らかにしなければならない（法 316 条の 30)。その後，裁判所は，自ら又は書記官に命じて公判前整理手続調書を朗読し，又はその要旨を告げる方法等により（規 217 条の 31)，公判前整理手続の結果を明らかにしなければならない（**公判前整理手続の結果顕出**。法 316 条の 31 第 1 項)。

検察官及び被告人又は弁護人は，やむを得ない事由によって公判前整理手続において請求することができなかったものを除き，公判前整理手続が終わった後は，新たな証拠調べ請求をすることができない（法 316 条の 32 第 1 項)。もっとも，裁判所が，必要と認めるときには，職権で証拠調べをすることができる（同条 2 項)。

上記の「やむを得ない事由」は，①証拠は存在していたが，それを知らなかったことがやむを得なかった場合，②証拠の存在は知っていたが，物理的にその証拠調べ請求が不可能であった場合，③証拠の存在は知っており，証拠調べ請求も可能であったが，公判前整理手続における相手方の主張や証拠関係等から，証拠調べ請求をする必要がないと考えたことに十分な理由があったと考えられる場合などに認められると解されている。このうち，③の関係では，公判審理を行ったところ当事者の見込み違いの結果に終わった場合に，どこまで「やむを得ない事由」があるとして新たな立証を許すことができるかが問題となることがある。実務的には，㋐新たな証拠を請求するに至った経緯，㋑新たな証拠請求が相手方当事者に及ぼす影響や審理予定に与える影響の大小，㋒その証拠が証明しようとする事実が事件の帰趨に与える影響の大小，㋓事案の重大性等を考慮して判断していく見解が有力である。

以上のとおり，公判前整理手続に付された事件においては，第1回公判期日前には原則として証拠決定までの手続（後記(4)（66頁）～(6)（72頁））が終了しており，公判期日において，公判前整理手続の結果が明らかにされた後は，証拠調べが施行されることになる（後記(7)（74頁以下）参照)。

なお，公判前整理手続を経た事案でも，前記第3の3(3)（35頁）で触れたとおり，証拠の採否が公判開始後に持ち越されることもある。また，法321条1項2号後段に該当する書面や法328条に該当する証拠などは，公判での証拠調べ次第で初めて請求可能となるようなものである。後者のような場合には，審理の結果に応じて請求される証拠は，法316条の32第1項のやむを得ない理由があると判断されることが前提となる。

以上で述べたところは，期日間整理手続に付された事件を審理する場合においても，ほぼそのまま当てはまる（ただし，被告人又は弁護人の冒頭陳述に関する法316条の30は適用されない。)。

(4) 証拠調べ請求

	プラクティス刑事裁判とは異なり公判前整理手続を経ていない場合の例示
検察官の証拠調べ請求	(検察官)【冒頭陳述に引き続いて】以上の事実を立証するため，ただいま提出した証拠等関係カード記載の各証拠の取調べを請求します。

ア 証拠調べ請求

当事者主義を基本とする刑事訴訟法の下では，証拠を提出する責任は，第一次的には当事者にあり，証拠調べは原則として当事者の請求によって行われる（法298条1項，2項)。立証責任は検察官にあることから，まず検察官において，事件の審判に必要と認められる全ての証拠の取調べを請求することが必要となる（規193条1項)。

証拠調べ請求は，証明すべき事実の立証に必要な証拠を厳選して，これをしなければならない（規189条の2)。刑事手続においては，公判審理が適正かつ迅速で分かりやすく進められなければならないことは当然である。その実現のためには，争点中心の充実した証拠調べが行われることが不可欠である。

実務上も，証拠書類による立証において，裁判体が的確な心証を形成できるよう，不要な情報部分を削除した抄本の形としたり，いくつかの証拠書類をまとめて分かりやすく統合化するなどの工夫が行われている。プラクティス刑事裁判の事件でも，甲第3号証の実況見分調書を抄本化した甲第10号証が新たに請求され，甲第5号証及び甲第6号証の実況見分調書を統合した甲第11号証の統合捜査報告書が請求されている（別冊29～31，37，39頁)。

なお，自白を内容とする被告人の作成した供述書，被告人の自白を録取した書面，被告人の公判準備又は公判期日における自白を録取した書面，被告人以外の者の公判準備又は公判期日における供述で被告人の自白を内容とするものは，犯罪事実に関する他の証拠が取り調べられるまではその取調べを請求することができない（法301条)。

Q　法301条の置かれた理由はなにか。

検察官請求証拠のうち，犯罪事実等に関する証拠で，被告人の供述調書等を除いたものを**甲号証**，被告人の供述調書，供述書，身上・前科関係の証拠を**乙号証**と呼ぶが，検察官が甲号証と乙号証とを同時に証拠調べ請求

しても，自白調書等よりも前に甲号証が取り調べられている限り，法 301 条に違反しないと解されている。

証拠調べを請求するには，あらかじめ相手方にその証拠の内容を知らせて防御の機会を与えなければならない。事前準備のところで触れた前記第3の2(3)イ（18 頁）・エ（20 頁）のとおりである。

Q　次の事項について，検察官，弁護人のいずれが証拠調べ請求をする責任を負うのか。
①　被告人に正当防衛が成立する疑いがあること又はないこと。
②　被告人に責任能力がない又はそれが限定されている疑いがあること又はないこと。
③　被告人にアリバイが成立する疑いがあること又はないこと。

Q　立証責任を被告人側が負わないとすると，被告人側が証拠調べ請求をすることはないのか。

なお，以下の記述は，被告人側が証拠調べを請求する場合も同様である。

イ　立証趣旨の明示

証拠調べの請求は，証拠と証明すべき事実との関係，すなわち**立証趣旨**を具体的に明示して行わなければならない（規 189 条 1 項）。

立証趣旨の明示が要求されるのは，冒頭陳述や公判前整理手続を経た事件では証明予定事実記載書・予定主張記載書面などと合わせて，この証拠で何を証明したいかを明らかにし，また，全体の証拠構造をも明らかにすることによって，相手方の防御を可能とするとともに，裁判所が証拠の採否に当たって参考にできるようにするためである。

ある証拠が伝聞証拠であるかどうかは，立証趣旨によって決まることも留意しておくべきである。

立証趣旨の明示は，公判廷においては口頭で述べる方法によることができるが，裁判所は，必要と認めるときは，請求者に対し，立証趣旨を明示した書面の提出を命ずることができる（規 189 条 3 項）。実務では，当初から証拠調べ請求書に立証趣旨を明示している（証拠等関係カードの書式を用いて証拠調べ請求をする際にはその立証趣旨欄（前記 1 (3)(41 頁）参照）に記入する）のが通例である。

立証趣旨が明らかにされていないか不明確なとき，あるいは命ぜられた書面が提出されないときは，証拠調べの請求を却下することができる（規189条4項）。

Q　立証趣旨に拘束力があるか。検察官から，訴訟条件があることを立証趣旨とする告訴状が証拠調べ請求されたのに対して，無罪であると争っている被告人の弁護人が同意の意見を述べた場合，裁判所は，その告訴状を犯罪事実の認定に用いてよいか。

ウ 証拠調べ請求の場合の書面の提出

証拠調べ請求自体は書面でも口頭でもよいが（規296条），審理の能率化と公判調書の正確性を確保するため，証拠書類その他の書面の取調べ請求のときはその標目を記載した書面を（規188条の2第2項），証人の取調べ請求のときはその氏名及び住居を記載した書面を（同条1項）それぞれ差し出さなければならない。

実務においては，検察官は証拠等関係カード（41頁）と同じ様式の書面に証拠の標目や立証趣旨等を記入したものを提出して証拠調べ請求を行っている。弁護人においても同じ様式の書面を提出して証拠調べ請求をする例が多い。

以上のほか，証人尋問を請求する場合には，証人の尋問に要する見込みの時間を申し出なければならず（規188の3第1項），相手方も，証人尋問の決定があった場合には，尋問に要する見込みの時間を申し出なければならない（同条2項）。

また，証人尋問の請求をした者は，尋問事項又は証人が証言すべき事項を記載した書面（尋問事項書）を差し出さなければならないが，公判期日においてまず訴訟関係人に尋問させる交互尋問の方法（後記(7)ウ（76頁以下）参照）を採る場合にはこの限りでない（規106条1項）。ただし，この場合でも，裁判所が必要と認めるときは，差し出すことを命ずることができる（同条2項）。

(5) 証拠調べ請求に対する意見等

	プラクティス刑事裁判とは異なり公判前整理手続を経ていない場合の例示
証拠調べ請求に対する弁護人の意見	（裁判長）検察官請求の証拠に対する弁護人の意見はいかがですか。 （弁護人）甲第○号証は不同意。その他の書証についてはいずれも同意します。甲第○号証の証拠物については，取調べに異議ありません。

証拠調べの請求があった場合は相手方の意見を聴かなければならない（規 190 条 2 項前段）。

裁判所が職権で証拠調べをしようとする場合は証拠決定の前に検察官及び被告人又は弁護人の意見を聴かなければならない（法 299 条 2 項，規 190 条 2 項後段）。これは，証拠調べ請求を採用するか却下するか，また職権による証拠調べをするかどうかを決するについて，参考とするためのものである。

ア　法 326 条の同意・不同意の対象となる証拠

検察官及び被告人が**証拠とすることに同意した書面又は供述**は，その書面が作成され又は供述されたときの情況を考慮し，相当と認めるときに限り，法 321 条ないし 325 条の規定にかかわらず，これを証拠とすることができる（法 326 条 1 項）。

したがって，請求された証拠書類については，まず相手方に証拠とすることに同意するかどうかの意見を求め，同意があれば原則として**証拠能力が付与される**こととなる（同意の意義については，前記(1)イ(エ)（57 頁）参照）。

Q　法 326 条 1 項の同意にはどのような効力があるのか。例えば，検察官請求の書面に対して，弁護人が「同意。ただし，不必要である」という意見を述べた場合，当該書面には証拠能力があるといえるのか。

Q　検察官請求の書面に対して，弁護人が「同意。ただし，信用性を争う」という意見を述べた場合，当該書面には証拠能力があるといえるのか。そのような意見が述べられた書面と，信用性に留保なく同意の意見が述べられた場合とで，何か異なることが生じるのか。

Q　犯人性を争っている被告人の弁護人が，被告人も争っていない前提事実の証明に関する甲第○号証について「同意」という意見を述べた直後，被告人が「私は起訴状に書かれたことをやっていないので，甲第○号証には同意できない」と発言した。この発言について，裁判所・弁護人はそれぞれどのようにするべきか。また，このような事態を招かないために，弁護人としてやっておくべきことはなかったか。

Q　被告人の尿から覚せい剤反応が検出されたことを立証趣旨とする鑑定書について，弁護人から不同意との意見が述べられたが，不同意とする理由が「作成の真正や鑑定内容について争うものではないが，違法収集証拠であるから」というものであった場合，裁判所はどのように対処するべきか。

なお，相手方の同意がなければ証拠とすることができない書面については，相手方が不同意であれば，請求者は請求を**撤回**するのが一般である。そして，その請求者は，必要に応じ，「次の手」として，その書面の供述者，作成者を証人として尋問請求することになる（前記３(1)イ(イ)・(ウ)（52頁以下）参照）。

Q　被告人が公訴事実を否認しており，その弁解内容に照らし，被告人の否認の趣旨を無意味に帰せしめるような内容の検察官請求証拠について，弁護人が同意の意見を述べた場合，裁判所は，直ちにこの証拠を採用することができるか。

イ　法326条の同意・不同意の対象とならない証拠

法326条１項の同意の対象にならない場合，すなわち，**証拠物**，**検証**，**証人尋問**，**鑑定**に関する証拠調べ請求については，相手方は，その証拠調べ請求に対し，「異議なし」，「不必要（であるので，異議がある）」「関連性がない（ので異議がある）」などの意見を述べる。実務上は，「しかるべく」という意見が述べられることがある点については，前記50頁のとおりである。

Q　裁判所は，証拠能力はあっても，証拠調べの必要性がないときは，証拠調べ請求を却下できるのか。

Q　関連性のない証拠は証拠能力を有するのか。いわゆる自然的関連性，法的関連性とは何か。

また，同項の同意の対象になる書面又は供述であっても，不同意となった場合などには，**法321～324条，328条**を根拠として証拠調べ請求がなされることがあるが，この請求に対して相手方は，「異議なし」，「特信性がない（ので，異議がある）。」，「任意性を争う。」などの意見を述べることになる。

なお，自白調書等，不利益な事実の承認を内容とする被告人の供述調書は，法322条によって証拠能力がある場合が多いであろうから，被告人側が自白調書等についての証拠能力を争うときは，これを不同意とするとともに**任意性に疑いがある**などという意見（法319条，322条1項ただし書参照）を述べる必要がある。この場合は，自白するに至った経緯について，任意性を疑わせる事情を具体的に指摘するとともに，これを被告人質問等によって法廷に顕出すべきである。裁判所としては，自白調書について，任意性を争わず単に不同意というにとどまる被告人側の意見は，信用性を争うという趣旨にすぎない（証拠能力は争わない）ということでよいのか確認するべきであろう（前記図16（57頁）参照）。

ウ　相手方の意見後の手続

前記(1)イ（49頁以下）及び第3の2(3)ウ（19頁）でみたとおり，相手方の意見及び裁判所の採否の決定次第では，請求側は，当該証拠を撤回して別の証拠を請求して立証を図ったり，当該証拠を採用してもらうための立証活動を行うなど，「次の手」を考えなければならない。

(6) 証拠決定

	プラクティス刑事裁判とは異なり公判前整理手続を経ていない場合の例示
証拠決定，弁護人の意見を踏まえた新たな検察官の証拠調べ請求等	(裁判長)【提出された証拠等関係カードの様式に検察官が記載した各証拠の標目や立証趣旨等を確認した後】それでは，弁護人が不同意とした甲第○号証を除く書証全部及び証拠物を採用します。 検察官，甲第○号証の供述調書を弁護人は不同意としましたが，これに関してはどうしますか。 (検察官) ただいま提出します証拠調べ請求書のとおり，甲第○号証の供述者である○○さんを証人として請求します。 本日同行して，別室で待機していただいておりますので，採用された甲号証を取り調べていただいた後，証人としてお聴きいただきたいと思います。 立証趣旨は証拠調べ請求書にも記載してありますが，甲第○号証と同じです。 (裁判長) ただいまの証人請求に対する弁護人の意見はいかがですか。 (弁護人) 異議ありません。反対尋問に 10 分いただきたいと思います。 (裁判長) なお，弁護人から，この段階で何か証拠調べ請求はありますか。 (弁護人) この段階ではありません。なお，検察官の立証が済んだ後に，情状関係の書証１通及び証人１名と，被告人質問をお願いする予定です。 (裁判長) それでは，○○さんを証人として採用し，採用した甲号証の取調べ後に尋問することとします。 そこでまず，検察官，甲第１号証から朗読してください・・・

証拠調べの請求に対しては決定をしなければならない。これには，証拠調べの請求を認容する採用決定と証拠調べの請求を却下する却下決定とがある。また，裁判所は，職権で証拠調べをする旨の決定をすることもできる（法 298 条２項）。これらの決定を**証拠決定**という（規 190 条１項）。

証拠決定は，①　証拠調べ請求が適法になされたこと，②　取調べ請求された証拠の証拠能力の有無（要証事実が厳格な証明の対象である場合），③　証拠調べの必要性があるかどうか，の3点を考慮した上で行われる。このうち，実務上重要なものは②及び③であろう。

裁判所は，訴訟関係人の証拠意見を踏まえ，証拠調べの必要性等を慎重に吟味した上で証拠決定をすることとなる。証拠能力の有無の判断のため，別途の立証が必要になることもある。

なお，証拠決定をするについて必要があると認めるときは（例えば，法323条2号の業務文書性を検討するため），訴訟関係人に証拠書類又は証拠物の提示を求めることができ（規192条），これを**提示命令**という。提示命令は証拠の証拠能力等を判断するために認められたものであり，この判断をするのに必要な限度において証拠の内容を見ることもできると解されている。

次に，裁判所は，検察官及び被告人又は弁護人の意見を聴き，証拠調べの範囲，順序及び方法を定めることができる（法297条1項）。

(7) 証拠調べの施行

証拠調べは，取調決定のあった証拠書類（乙号証を除く。）及び証拠物を，請求の順序，もしくは，冒頭陳述と各証拠の立証事項との対応関係等を踏まえて，裁判員に理解しやすい順序で取り調べ，次いで証人尋問，乙号証の取調べ，被告人質問を行うのが通例である。

弁護側からの証拠調べ請求がある場合には，検察官立証の終わった後，弁護側立証に入るという例が多いであろう。

犯罪事実に関しないことが明らかな情状事実についての証拠の取調べは，犯罪事実に関する証拠の取調べとは区別して行うように努めなければならない（規 198 条の 3）とされていることから，犯罪事実に関する証拠調べと情状に関する証拠調べとに段階を分けて運用する例もある。

争いのない事実については，誘導尋問，同意書面や合意書面の活用等，当該事実及び証拠の内容及び性質に応じた適切な証拠調べが行われるよう努めるべきである（規 198 条の 2）。また，検察官は，取調べの状況に関する立証について，取調状況に関する資料を用いるなどして迅速かつ的確に行うよう努めなければならない（規 198 条の 4）とされている。

Q　証拠調べの施行後に当該証拠に証拠能力のないことが判明した場合，裁判所又は訴訟当事者はどのように対処するべきか。

ア 証拠書類（書証）

	プラクティス刑事裁判を想定した例示に戻る
書証の取調べ	（裁判長）ここから，証拠調べの中身に入っていきます。まず，採用済みの証拠書類を取り調べます。 検察官どうぞ。 （検察官）１通目の証拠書類は，水戸警察署の仁村陽介警部補が作成した「実況見分調書」という名前の書類ですが，必要な部分だけ，つまり抄本の形になっています。 本件について，仁村警部補が実況見分を行った，つまり，現場を確認した状況が記載されています。 実況見分が行われたのは，平成 29 年 6 月 10 日午前 1 時 10 分から午前 3 時 25 分までで，水戸市本田町 7 丁目 8 番 9 号のペデストリアンデッキ及びその付近一帯が対象とされています。

この実況見分は，本件犯行現場の状況及びその手段方法を明らかにして証拠を保全するために行われました。

この実況見分調書に添付された現場見取図その1をスクリーンに映しますので，御覧ください。

犯行現場は，JR水戸駅から北へ約50mの地点で，地上2階建てのペデストリアンデッキ上です。このペデストリアンデッキは，歩行者用通路兼広場になっています。

同じく添付されている写真①をスクリーンに映しますので御覧ください。・・・

証拠書類は書面の記載内容だけが証拠となる点において，記載内容のほかその存在及び状態も証拠となる**証拠物たる書面**（法307条）と区別される。

証拠書類の取調方式は，原則として**朗読**である（法305条）。公判廷で証拠書類の内容を十分理解するのに適した方法だからである。特に，裁判員裁判においては，裁判員が事後に証拠書類を読み返したり，裁判官が裁判員に内容を説明したりすることは予定されておらず，したがって，裁判員が公判廷における証拠調べにより心証を形成することができるように，必要な情報は公判期日において全て提供される必要があり，そのためには，朗読の方法によることをまず考えるべきであろう。なお，朗読は請求者が行うのが通常である。

なお，裁判長は，訴訟関係人の意見を聴き相当と認めるときは，**要旨の告知**という方法をとることもできる（規203条の2)。要旨といっても，法廷で不足のない的確な心証が形成できるものでなければならない。

上記の実況見分調書の取調べの例は，単に書類の記載を棒読みするだけでは内容が把握しにくいため，書類に記載されている内容が過不足なく伝わるように検察官が工夫していることを想定したものである。証拠調べにおいて，不足があってはならないが，加わるものがあってもいけないので，このような工夫を行う際にも注意が必要である。

Q　証拠書類に添付された写真や図面は朗読できない。取調べはどのように行うのか。

公開の法廷での**被害者特定事項又は証人等特定事項の秘匿決定**がなされた場合には，証拠書類の取調べも同事項を明らかにしない方法で行われる（法305条3項，4項，290条の2第1項，3項，290条の3第1項)。

イ 証拠物（物証）

物証の取調べ	（裁判長）次に，証拠物を取り調べます。 検察官どうぞ。 （検察官）御覧いただくのは，本件で使用された出刃包丁1丁です。プラスティック・ケースに入っていますが，これは安全のための措置で，ケース自体は証拠ではありません。 **【検察官は，まず自席で，ケースを法壇からもよく見えるように掲げ，次いで，被告人にもよく見えるようにそれを示した後，書記官に手渡した。書記官は，それを法壇上の裁判官に渡し，裁判長の指示で，裁判員，裁判官が順にケースを回して中の包丁を確かめた】**

証拠物とは，その存在及び状態が証拠となる物件をいう。本件では，甲第4号証の出刃包丁がこれに属する。証拠物の取調べの方式はその物を示すこと，すなわち**展示**である（法306条）。

なお，実務では，証拠物を取り調べる際に，被告人質問が行われることがある。例えば，被告人が所有していた凶器が証拠物として提出された場合に，検察官が，被告人に対して，本件で使用された凶器に間違いないかどうかを確認する質問を行うことにより，念のため本件との関連性を明らかにするというようなことがある。また，被告人の所有権放棄の意思を確認する質問があることもある。

証拠物たる書面の取調べの方式は，朗読又は要旨の告知及び展示である（法307条）。

なお，取調べ済みの証拠書類及び証拠物は直ちに裁判所に提出しなければならない（法310条本文）。

Q　録音，録画の記録（媒体）はどのように取り調べられるか。

ウ 証人尋問

証人尋問	（裁判長）ここで，証人である木田信二さんのお話を伺います。 では，証人は証言台のところに立ってください。

人定尋問	名前は何と言いますか。 （証人）木田信二です。 （裁判長）生年月日や住所はさきほど書いていただいた証人カードのとおりでよいですね。 （証人）はい。
宣誓等	（裁判長）それでは，本件の証人としてお話をうかがいます。それに先だって，真実を語るという意味の宣誓をしてください。お渡しする紙を手にとって声に出して読んでください。 （証人）宣誓，良心に従って真実を述べ，何事も隠さず，偽りを述べないことを誓います。 （裁判長）証言席に座ってください。今，誓われたとおり，真実を語るということでよろしくお願いします。宣誓の上で，偽証をすると，罰がありますから注意をしてください。 　なお，証言すると，証人自身や近親者が起訴されたり，有罪判決を受けるというような事項については，その理由を告げて証言を拒むことができますので，そのような場合には申し出てください。
主尋問	（裁判長）それでは，検察官から質問してください。 （検察官）検察官の青山からお尋ねします。質問は横からしますが，お答えは，正面，裁判官と裁判員の方を向いて仰ってください。 　まず，あなたは，平成29年6月9日，午後11時43分頃，水戸駅北口のペデストリアンデッキにあるベンチ付近で，包丁でおなかを刺されましたね。 （証人）はい。・・・
反対尋問	（裁判長）それでは，弁護人どうぞ。 （弁護人）弁護人の中島からお尋ねします。・・・
補充尋問	（裁判長）裁判員の中で，証人に聴きたいことがある方はいらっしゃいますか。・・・ （※　証人尋問調書がプラクティス刑事裁判別冊 47～50頁に収められている）

(ｱ) 証人の意義等

証人とは，裁判所及び裁判官に対して自己の直接経験した事実を供述すべき第三者をいい，またこの供述を**証言**という。自己の直接経験した事実である限り，特別の知識によって知り得た事実でもよい（法174条）。このような事実を供述する者を**鑑定証人**という。

また，証言は**自分の体験した事実により推測したこと**（実験した事実により推測した事項）でもよく（法156条1項），その場合特別な知識経験に基づく推測であってもかまわない（同条2項）。

証人となり得る資格のことを**証人適格**という。法143条は，「裁判所は，この法律に特別の定のある場合を除いては，何人でも証人としてこれを尋問することができる。」と規定しており，これは全ての者に証人となる義務を課するとともに，全ての者に証人となる資格を認めたものである。ただ，特定の者につき証人として尋問することができない場合が定められており（法144条，145条），また，被告人も証人適格がないと解されている。手続を分離しない限り，共同被告人についても同様である。

Q　被告人A及びBの2名が1通の起訴状で起訴され，併合して審理されている場合に，被告人Aの弁護人が被告人Bに対して被告人質問を行う場合と，弁論を分離した上で被告人Bに対して証人として尋問を行う場合とでは，法的に異なる点があるか。

(イ) 証人の権利義務

証人の権利としては，証言拒絶権等があり，義務としては，出頭，宣誓，証言の義務がある。

証言を拒否できるのは，次のような場合である。

① 自己及びその配偶者，親兄弟その他一定の近親者が刑事訴追を受け，又は有罪判決を受けるおそれのある事項に関する場合（法146条，147条）
② 医師，歯科医師等の一定の職にある者又はこれらの職にあった者が業務上委託を受けたため知り得た事実で他人の秘密に関する場合（法149条本文。これらの職は限定的列挙と解されている）

証言を拒む者はこれを拒む事由があることを示さなければならない（規122条1項）。なお，証言拒絶権を放棄して証言することは差し支えない。

一方で，証人は，出頭，宣誓，証言の義務を負う。

まず，証人尋問を決定した場合その証人が在廷しているときは直ちにこれを尋問することができるが（規 113 条 2 項），そうでないときは証人を召喚し（法 153 条，62 条，63 条，65 条），これに応じないとき，又は応じないおそれがあるときは，勾引することもできる（法 152 条）。また，裁判所は，指定の場所に証人の同行を命ずることもでき，正当な理由がないのに同行に応じない証人は勾引することもできる（法 162 条）。

出頭した証人には宣誓をさせる（法 154 条，規 116～120 条）。証人が正当な理由がないのに宣誓を拒絶したときは，過料，費用の賠償，刑罰の制裁がある（法 160 条，161 条）。

(ｳ) 証人の保護

証人尋問等を行うに当たり，証人等を保護するために次のような措置を講じることができる。

① 証人の付添人（法 157 条の 4 第 1 項）
② 証人と被告人・傍聴人との間の遮へい措置（法 157 条の 5）
③ ビデオリンク方式による証人尋問（法 157 条の 6）
④ 被告人・傍聴人の退廷（法 304 条の 2，規 202 条）
⑤ 公開の法廷での証人等特定事項の秘匿（法 290 条の 3）
⑥ 証人等の所在場所及び証人等秘匿事項に関する尋問の制限（法 295 条 2 項，4 項）
⑦ 証人を保護するための配慮・措置（法 299 条の 2，299 条の 4）

(ｴ) 証人尋問の順序，手続

証人に対しては，まず，その人違いでないかどうかを取り調べなければならないが（規 115 条。**人定尋問**），その取調べの方法としては，その者の氏名を始め，年齢，職業及び住居を尋ねるのが一般である。

次に，証人に宣誓させる（規 116～119 条）。

宣誓をした証人に対しては，偽証の罰及び証言拒絶権を告げなければならない（規 120 条，121 条）。証人は各別に尋問するが（規 123 条），必要があるときは，証人と他の証人又は被告人との対質（規 124 条），あるいは書面による質問，応答（規 125 条）の方法を採ることもできる。

証人尋問の順序については，法 304 条 1・2 項は，まず裁判長又は陪席の裁判官が証人を尋問し，それが終わった後，当事者が裁判長に告げて尋問することを原則としている。

しかし，当事者主義の下では，当事者がまずは尋問するべきである。法 304 条 3 項は，裁判所が適当と認めるときは，検察官及び被告人側の意見を聴き，まず当事者から尋問すべきとすることを許容しているが，実務では，改めて明示の意見を聴くまでもなく，当事者から交互に尋問を行うのが通常である。

交互尋問の方法による場合は，証人尋問を請求した者がまず尋問し（**主尋問**），次いで相手方が尋問し（**反対尋問**），更に請求者が尋問する（**再主尋問**）（規 199 条の 2）。裁判長又は陪席裁判官は最後に補充的に尋問する（補充尋問という。）ことが多い。

ただし，裁判長は，いつでも途中で介入して尋問することができる（規 201 条 1 項）。裁判員裁判においては，裁判員も，自ら関与する判断に必要な事項について，裁判長に告げて尋問することができる（裁判員法 56 条）。

主尋問，反対尋問，再主尋問の対象となる事項は図 17 のとおりである。

図 17

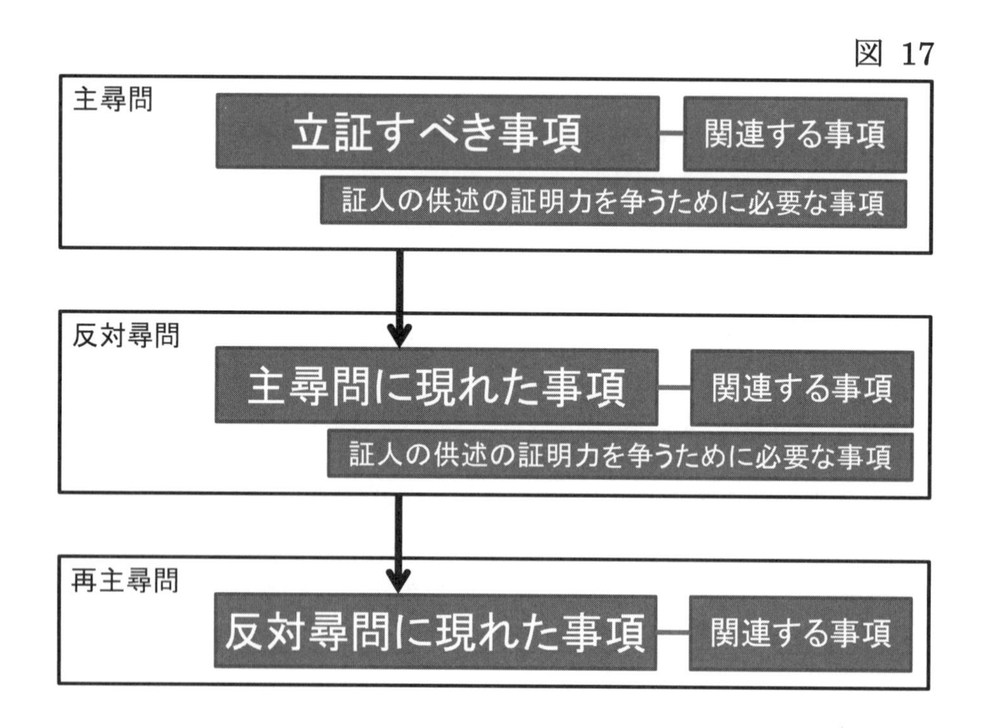

Q　「証明力を争うために必要な事項」（規 199 条の 3 第 2 項，199 条の 4 第 1 項）とは何か。

被害者参加人等は，一定の要件の下，情状証人に対し，情状に関する事項についての証明力を争うために必要な事項について尋問することができる（法316条の36第1項）。

(ｵ) 証人尋問の方法

尋問に当たっては，できる限り個別的かつ具体的で簡潔な尋問によらなければならない（規199条の13第1項）。原則として**一問一答方式**によるべきであり，安易な物語式に陥らないようにすべきである。

立証すべき事項又は主尋問若しくは反対尋問に現れた事項に関連する事項について尋問する場合には，その関連性が明らかになるような尋問をするなどの方法により，裁判所にその関連性を明らかにしなければならない（規199条の14第1項）。

証言の信用性に関連する事項や証人の信用性に関連する事項について尋問する場合も同様である（規199条の14第2項）。

プラクティス刑事裁判の事件では，別冊47〜70頁のとおり，証人尋問や被告人質問が，争点の判断に必要な事項に焦点を当てた，簡潔ではあるが，十分な内容のものとなっている。

このような尋問等が可能となったのは，図 4（13頁）で示したように，適切に結論を導くには，法廷で的確な心証が形成できるような審理がなされなければならないことを念頭に，公判前整理手続の段階で，争点の判断のために焦点を当てるべき事項は何かを十分に突き合わせ，議論してきた結果である（前記第3の3(1)（24頁）も参照）。

尋問は口頭で問い口頭で答えさせるのが原則であるが，一定の場合には**書面や物を用いて尋問**することも許される。規199条の10〜12に，そうした尋問が可能な場合が定められている。

それらを整理すると次の表のとおりとなる。

目　的 (条文)	成立，同一性の確認 (規199条の10)	記憶喚起 (規199条の11)	供述の明確化 (規199条の12)
どのような場面か	作成の真正の立証のため鑑定書の署名が証人のものかを確認したり，刃物の刃こぼれについて説明させたりするために，書面や物を示すといった場合が典型	証人の記憶が明らかでない事項について，書面や物を示して記憶を喚起する場合	供述した位置関係を明らかにするために図面を示して記入させたり，身振りを交えて供述したときにその身振りを写真に撮影したりする場合がある
裁判長の許可の要否	不要	要 (規199条の11第1項，199条の12第1項)	
禁止事項		供述を録取した書面は示せない（規199条の11第1項）	
注意事項		書面の内容が証人の供述に不当な影響を及ぼすことのないように注意しなければならない（規199条の11第2項）	
相手方への閲覧の機会付与	書面又は物が証拠調べを終わったものでないときは，異議がないときを除き，あらかじめ，相手方に閲覧する機会を与えなければならない（規199条の10第2項，199条の11第3項，199条の12第2項）		

プラクティス刑事裁判の事件では，別冊48頁で，検察官が甲第10号証の実況見分調書抄本の「現場見取図その1」の写しを証人に示して尋問し，証人が書き込んだものを証人尋問調書に添付している（別冊51頁）。

別冊48頁の上から8行目には，「(甲) 証拠番号10実況見分調書（抄本）の「現場見取図その1」の写し（本書末尾添付）を示す」としか書いていないが，その際のやりとりとしては，例えば，次のようなことが行われている。

証人尋問 (前後省略)	・・・ (証人) いいえ。近づいていきなりどんと来たので，体を動かす余裕はなかったです。 (検察官) 裁判長，ここで，証人の供述を明確にするため，甲第10号証の実況見分調書抄本の「現場見取図その1」の写しを証人に示したいと思います。 (裁判長) どうぞ。 (検察官) これは，本件の現場を図にしたものですが，証人が被告人に刺された時に立っていた場所を①と書き込んでください。 (証人) はい。(書き込む)

・・・

なお，前記(1)イ(ｳ)（55頁）には，同一性の確認のために書面を示した尋問の例が収められている（「同一性の確認のために示す」ということを検察官が明言しており，裁判長の許可は求められていない)。

Q　規199条の11及び199条の12の場合に，裁判長の許可が必要とされているのはなぜか。

Q　規199条の11第2項は，示す書面の内容が証人の供述に不当な影響を及ぼすことのないように注意しなければならないとしているが，具体的にはどうすればよいか。規199条の12の場合には，証言に不当な影響を及ぼすような示し方をしてもよいのか。

Q　被告人が被害者を殴打した傷害事案において，検察官が，被害者の証人尋問で，被告人が被害者を殴った際の被告人の手の動きについて具体的に証言させた後，裁判所に対し，供述を明確にするために必要があるとして，証拠として採用されていない被害再現写真を示すことの許可を求めた場合，裁判所は，どのように対応すべきか。その写真を示すことを許可した場合，尋問終了後，裁判所は，その写真を訴訟記録に含めるために，どのような手段をとることが考えられるか。裁判所は，その写真を事実認定の用に供することはできるか。

(ｶ) 許されない尋問の方法

次の①～③のような尋問は**相当でない尋問**（法295条参照）として禁止される。

①　誘導尋問

誘導尋問とは，質問者が希望し又は期待している答えを暗示する質問をいう。尋問者が誘導尋問をすると，証人がこれに迎合して，自身の体験を記憶に従って表現することを放棄してしまうおそれがあるため，主尋問では原則として誘導尋問は禁止されている。尋問の際に書面を読み上げることにも同じおそれがある。

主尋問では，誘導尋問は原則として禁止されるが，実務上許される誘導尋問として多いのは，

・　証人の身分，経歴，交友関係等で，実質的な尋問に入るに先立って明らかにする必要のある準備的な事項に関するとき
・　訴訟関係人に争いのないことが明らかな事項に関するとき

である（規199条の3第3項）。本件においても，井上智久及び藤本和男に対する検察官の主尋問の当初にこの種の尋問が行われていることが顕著である。

Q　争いのないことが明らかな事項について，誘導尋問が許されるのだから，そうした事項については全て誘導尋問によって証言を得るべきなのか。

反対尋問においては，誘導尋問は一般的に許容されており（規199条の4第3項），本件の木田信二に対する弁護人の反対尋問においても，誘導尋問が多くなされている。誘導尋問をするについても，書面の朗読その他証人の供述に不当な影響を及ぼすおそれのある方法は避けなければならず（規199条の3第4項），裁判長は，誘導尋問を相当でないと認めるときは，これを制限することができる（同条5項，199条の4第4項）。

②　誤導尋問

実務上，**誤導尋問**と呼ばれているものがある。争いのある事実や未だ供述に現れていない事実を存在するものと前提し又は仮定する尋問である。

例えば，本件では，被告人が正対している被害者の腹部を包丁で突き刺したかどうかが重要なポイントの一つであるが，被害者の証人木田信二が未だ被告人が正対している状態にあったことについて何も供述していない段階で，木田に対して「正対している被告人を見て，どのように思いましたか」と尋問するような場合がこれに当たる。

誤導尋問も誘導尋問の一種であるが，錯誤等から証人が認識・記憶していることとは異なった証言をする危険性が特に高いので，このような尋問は許されないとされている。

③　その他の許されない尋問

規199条の13第2項は，次のような尋問も禁じている。

- 威嚇的又は侮辱的な尋問（1 号）
- すでにした尋問と重複する尋問（2 号）
- 意見を求め又は議論にわたる尋問（3 号）
- 証人が直接経験しなかった事実についての質問（4 号）

ただし，2～4 号の尋問は，正当な理由があれば可能である。

なお，規 199 条の 13 第 2 項 4 号によれば，証人には実験した事実，つまり，直接経験した事実に基づき推測した事項は証言させることができるが（法 156 条 1 項。前記(ｱ)（78 頁）参照），経験した事実に基づかない単なる意見を述べさせることは，正当な理由のない限り許されない。

Q　法 156 条 1 項と規 199 条の 13 第 2 項 4 号との関係はどのようにとらえればよいのか。

また，伝聞供述を求める尋問も，直接経験しなかった事実についての尋問であり，相手方の同意等がない限り許されない。

Q　証人が伝聞証言を行ったが，当事者から異議の申立てがなされないまま当該証人に対する尋問が終了した場合，その伝聞証言の証拠能力はどうなるか。

Q　検察官が，「被告人は，公務員乙と共謀の上，乙の職務上の不正行為に対する謝礼の趣旨で，丙から賄賂を収受した」という事後加重収賄の訴因で起訴したが，検察官立証がほぼ終了した後，「被告人は，丙と共謀の上，上記謝礼の趣旨で，公務員乙に対して賄賂を供与した」（収受したとされる賄賂と供与したとされる賄賂との間に事実上の共通性がある）との訴因を予備的に追加請求してきた場合，裁判所は，このような訴因の追加を許可することができるか。

Q　公判前整理手続では争点とされていなかった事項に関し，公判で証人尋問等を行った結果明らかになった事実関係に基づいて，検察官が訴因変更請求を行った場合，裁判所は，許可することができるか。

(8) 弁護側の立証

弁護側立証の在り方は事案によりさまざまである。検察官立証が終了した後，弁護側が証拠調べ請求をはじめとする立証段階に入るという事案が多いであろうが，検察側の冒頭陳述に続いて弁護側も冒頭陳述を行い，検察官の証拠調べ請求に続いて弁護側の証拠調べ請求も行われるような事案もある。犯罪事実に関する立証段階と情状に関する立証段階に分けて証拠調べが行われるような事案もある。

公判前整理手続を経る事件においては，前記(3)（64 頁）のとおり，原則として公判前整理手続終了後の新たな証拠調べ請求はできない（法 316 条の 32 第 1 項)。公判前整理手続中に，当然，弁護側立証をも含めた審理計画が立てられるのである。

(9) 被告人質問

法311条1項は，「被告人は，終始沈黙し，又は個々の質問に対し，供述を拒むことができる」と定めている。同条2項は，これを前提に，「被告人が任意に供述をする場合には，裁判長は，何時でも必要とする事項につき被告人の供述を求めることができる」とし，3項は，「陪席の裁判官，検察官，弁護人，共同被告人又はその弁護人は，裁判長に告げて，前項の供述を求めることができる」とする。このようなことから，被告人質問は，性質上は，職権による証拠調べであるとされている。

ただし，実務上は，当事者（特に弁護人）から被告人質問を実施するよう，裁判所に職権発動を促す発言があるのが通常である。

実務では，全ての証拠調べが終わった後に被告人質問を行なっていることが多い。前記(7)（74頁以下）で紹介したとおり，犯罪事実に関する証拠調べと情状に関する証拠調べとに段階を分けて運用する場合には，被告人質問も2回に分けて行うことが多いであろう。

被告人の公判期日における供述は利益不利益を問わず証拠となるから（法322条2項），被告人質問も広い意味で証拠調べの性質を持ち，被告人質問は，証人尋問における交互尋問の方式（規199条の2以下）にならって行われるが，宣誓手続はなされない。

Q　被告人質問に当たって，被告人が宣誓しないのはなぜか。実務の通例が，被告人質問を他の証拠調べが済んだ後に行うこととされているのはなぜか。

Q　ひったくりの事案の公判前整理手続において，弁護人が，犯人性を争うとし，裁判所の求釈明にもかかわらず，「アリバイの主張をする予定であるが，その具体的内容は被告人質問で明らかにする。」という限度でしか主張しなかったとする。被告人質問において，弁護人がアリバイの具体的な内容について質問を始めた際に，検察官が，「公判前整理手続における主張以外のことであって，本件の立証事項と関連性がない。」旨の異議を申し立て，質問の制限を求めた場合，裁判所は，どのように対応すべきか。

なお，被害者参加人等は，一定の要件の下，意見の陳述をするために必要な事項について，被告人質問を行うことができる（法316条の37第1項）。

Q　ある修習生が，修習中に担当した事件における被告人の弁解がまったく不合理であると考え，そのことのみを指摘して被告人が有罪であるという結論を導く起案をしたところ，指導裁判官から刑事訴訟がまったく分かっていないと指摘を受けた。それはなぜか。

(10) 異議の申立て等

検察官，被告人又は弁護人は証拠調べに関し**異議**を申し立てることができる（法309条1項）。

これは前述した証人尋問の順序及び方法（前記(7)ウ（76 頁以下））等に見られるように，証拠調べ等の手続に関する規定が複雑で，しかもかなり当事者主義化されているところから，これらの手続における一方の当事者の行き過ぎや過誤の是正もできるだけ相手方の申立てに待ち，チェック・アンド・バランスの原理によって手続を適法かつ妥当に進めるという趣旨に基づくものである。

証拠調べに関する異議の対象は，証拠調べ全般に及び，冒頭陳述，証拠調べの請求，証拠決定，証拠調べの範囲・順序・方法を定める決定，証拠調べの方式，証明力を争う機会の付与，更に尋問の制限等証拠調べに関する裁判長の処分（これに対する異議は法309条2項の異議ではなく同条1項の異議に当たる。）など証拠調べに関する全ての訴訟行為を含む。

裁判所，裁判官の行為に対してでもよく，また，作為，不作為を問わない。証拠調べに関する異議は，法令の違反があることだけでなく，相当でないことを理由としてでもすることができる（規205条1項本文）。

ただし，証拠調べに関する決定（証拠決定，証拠調べの範囲・順序・方法を定める決定）に対する異議であれば，相当でないことを理由としてすることはできない（規205条1項ただし書）。証拠決定は，訴訟関係人の意見を聴いた上で（規190条2項，33条1項）裁判所が判断するという慎重な性質のものであることが考慮されたからであろうと指摘されている。

なお，このほか，裁判長の処分（訴訟指揮権に基づく処分と法廷警察権に基づく処分。前記1(2)（39頁）参照）に対しても異議を申し立てることができる（法309条2項）。この異議も法令の違反があることを理由とする場合に限られる（規205条2項。前記1(2)（39頁）参照）。裁判長の訴訟指揮は，ある程度の裁量に任されているので，相当でないことを理由とする異議の申立てを認めないことにしたのである。

異議の申立てがあった場合の手続については，規則に詳細な規定が置かれている（規205条の2〜6，206条）。概観すると，次頁の図 18のようになる。

図 18

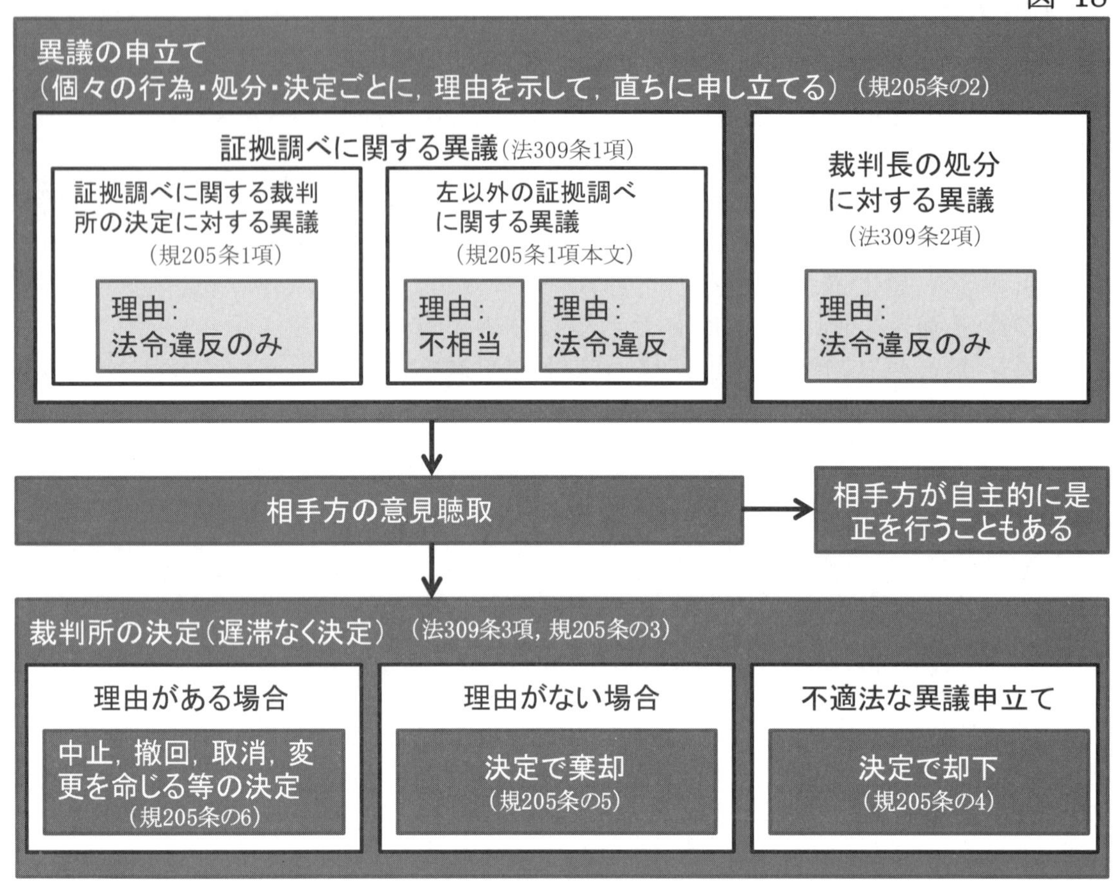

異議の申立ては，個々の行為，処分等ごとに，簡潔にその理由を示して，直ちにしなければならないとされ（規 205 条の 2），時機に遅れてなされた異議の申立ては，原則として不適法な申立てとして却下される（規 205 条の 4）。

> Q　証人尋問における主尋問の際，ある質問に対して，相手方当事者から異議申立てがあった。その後の手続はどのようなものになるのか。
>
> Q　裁判所が，弁護人が取調べに異議があるとの意見を述べたにもかかわらず，法 321 条 1 項 2 号に基づいて被害者の検察官調書を採用するという証拠決定を行ったのに対し，弁護人は，相当でないことを理由として異議を申し立てることができるか。この場合に，弁護人としては，どのような理由を述べて異議を申し立てることができるか。

証人尋問の異議申立てがあった際のやりとりの一例を示しておく。

・・・
（証人）とっさに西村さんの腕をつかみました。

	（検察官）被告人の腕は伸びていましたか。
異議申立て	（弁護人）異議があります。誘導尋問です。
相手方の意見聴取	（裁判官）検察官，異議についてのご意見はいかがですか。 （検察官）争いのないことが明らかな事項に関する尋問ですので，誘導尋問が許される場合に当たります。異議は理由がないと考えます。
裁判官の合議	【裁判長が，壇上で左右の陪席裁判官と小声で話し合う】
決定	（裁判長）異議を認めます。検察官は質問を変えてください。
	（検察官）被告人の腕はどうなっていましたか。 ・・・

(11) 証拠の証明力を争う機会の付与

証拠調べの終了	（裁判長）双方，立証は以上ということでよろしいですか。 （検察官，弁護人）はい。 （裁判長）それでは，証拠調べを終わります。

裁判所は，検察官及び被告人又は弁護人に対し，証拠の証明力を争うために必要とする適当な機会を与えなければならない(法308条)。そのため，裁判長は，裁判所が適当と認める機会に証拠の証明力を争うことができる旨を訴訟関係人に告知する必要がある（規204条）。告知の方法は具体的審理の状況に即して適当なものであれば足りる。

公判前整理手続を経ない事件では，裁判長が，検察官立証がひと段落した段階で弁護側から何かないかなどと尋ねたり，証拠調べの終盤で証拠関係は双方以上でよいのかなどと尋ねる場面があるが，これも法308条，規204条の手続の一環と解することができる。

なお，公判前整理手続又は期日間整理手続に付された事件においては，公判前整理手続等が終了した後は，やむを得ない事由によって公判前整理手続等において請求することができなかったものを除いては，証拠調べ請求ができず（法316条の32第1項），その点は証拠の証明力を争うためであっても同様である。公判前整理手続等の中で事件の争点及び証拠の整理を行い，その際，相手方の立証に対する反証の機会が十分に与えられており，通常は，これにより法308条，規204条の趣旨は実現されているといえる。

Q　公判前整理手続を経た事件について，検察側証人が重要事項につき捜査段階の供述と矛盾する証言をしたため，弁護人が法328条により弾劾証拠として捜査段階の供述調書の証拠調べ請求をしてきた場合，裁判所は，どのように対応すべきか。

Q　審理の結果，起訴状に記載された殺人の訴因については無罪とするほかなくても，これを重過失致死罪の訴因に変更すれば有罪であることが明らかな場合，裁判所はどのように対応すべきか。

4 被害者等による被害に関する心情その他被告事件に関する意見の陳述

被害者等又は当該被害者の法定代理人（被害者参加人等（前記1(1)（39頁）参照）に限られない）は，被害に関する心情その他被告事件に関する意見を陳述することができる（法292条の2第1項）。陳述された心情等は証拠となるが，これを犯罪事実の認定のための証拠として用いることはできない（同条9項）。

5 論告，弁論，最終陳述

論告・求刑	(裁判長) 結審に先立って，本件に対する検察官及び弁護側の最終的な御意見をうかがうことにします。 まず，検察官からどうぞ。 (検察官) 本件に関する検察官の意見を申し述べます。・・・したがって，関係する法令を適用し，被告人を懲役○年に処するのが相当です。
弁論	(裁判長) 続いて弁護人どうぞ。 (弁護人) 弁護人の意見を申し述べます。・・・
最終陳述	(裁判長) 被告人は証言台に立ってください。これで本件の審理を終わりますが，最後に何か言っておきたいことはありますか。 (被告人) 申し訳ないの一言です。

(1) 論告・求刑

証拠調べが終わった後，検察官は，証拠調べについての裁判官及び裁判員の記憶が新鮮なうちに，できる限り速やかに，事実及び法律の適用について意見を述べる（法 293 条 1 項，規 211 条の 2)。これを**論告**という。

事実及び法律の適用についての意見とは，一般には証拠の証拠能力及び証明力に関する意見と刑事実体法規の適用に関する意見を指すが，手続法的事実が問題になっている場合は，当該事実の存否及び手続法規の解釈運用に関する意見を述べることも差し支えない。

検察官は，論告を行うに当たり，争いのある事実については，その意見と証拠との関係を具体的に明示して行わなければならない(規 211 条の 3)。

検察官は，公益の代表者であるから，論告は有罪の主張に限られない。

有罪の主張をする場合には，本件のように，情状を挙げ，科せられるべき刑罰の種類及び量についての意見をも述べるのが一般であり，これを**求刑**という。求刑は法律の適用に関する意見であると解されている。

プラクティス刑事裁判の事件では，「おわりに」という書面が別冊 24 頁に収められているが，これが，検察官が論告のときに使用した書面である（別冊 23 頁)。

(2) 被害者参加人等の事実又は法律の適用についての意見陳述

被害者参加人等は，一定の要件の下，検察官の論告の後に事実又は法律の適用について意見を陳述することができる（法316条の38第1項）。この意見陳述は，前記4（93頁）の，被害者等による，被害に関する心情その他被告事件に関する意見陳述とは異なり，証拠とはならない（同条4項）。

(3) 弁論，最終陳述

被告人及び弁護人は，検察官の論告・求刑に対応して意見を陳述することができる（法293条2項。被告人の意見は通常「最終陳述」と呼ばれる）。この陳述も，論告と同様，証拠調べ後できる限り速やかに行わなければならない（規211条の2）。

弁護人の意見陳述は，通常，**弁論**（**最終弁論**）と呼ばれる。弁論の内容について法文上の限定はないが，論告に対応するものとして事実及び法律の適用についての意見が述べられるべきである。証拠の証拠能力及び証明力，ひいては犯罪の成否，情状，論告に対する反論等多岐にわたることが多いが，事件に無関係な事柄や法廷に現われていない資料に基づく陳述は許されない。弁論及び最終陳述の方法についても，論告と同様，その意見と証拠との関係を具体的に明示して行わなければならない（規211条の3）。

プラクティス刑事裁判の事件では，「最終弁論」という書面が別冊25頁に収められているが，これが，弁護人が弁論のときに使用した書面である（別冊23頁）。

裁判員裁判においては，論告，弁論についても，裁判員に分かりやすいものとする必要がある（裁判員法51条参照）。すなわち，裁判員は刑事裁判における事実の認定や刑の量定等に慣れていないことから，裁判員が，評議において十分にその役割を果たすことができるようにするため，論告，弁論についても，個々の論点や証拠の位置付け，内容等を理解できるように配慮された分かりやすいものであることが求められる。

(4) 弁論の終結

論告，弁論，最終陳述によって審理手続は終わり，判決の宣告手続だけが残されることになる。これを**弁論の終結**又は結審という（ただ，ときに弁論の再開があり得ることについては，法313条1項参照）。

Q　被告人Aが，殺人の共同正犯として起訴された事案において，公訴事実には，「被告人Aは，Bと共謀の上，Aが被害者の頸部を締めつけるなどして殺害した」旨記載されていたが，証拠調べの結果，裁判所が，AとBが殺人の共謀をしたことは認定できるが，殺害行為を行ったのは，「A又はBあるいはその両名」とした認定できないと考えた場合，裁判所は，どのような手続，措置を採る必要があるか。

６ 判決

判決宣告	（裁判長）被告人は証言台のところに立ってください。 　これから，被告人に対する殺人未遂，銃砲刀剣類所持等取締法違反被告事件についての判決を言い渡します。 　まず，判決の結論である「主文」です。 　主文，被告人・・・ 　次に，理由について述べます。・・・
執行猶予の説明	**執行猶予判決の場合の説明の例（保護観察に付されない全部執行猶予の事例とする）** （裁判長）さきほど，懲役〇年，執行猶予△年という主文を言い渡しましたので，執行猶予という制度について説明しておきたいと思います。 　執行猶予というのは，もしも，この判決が確定した場合には，△年の猶予の期間内にそれが取消しにならなければ，懲役〇年の服役をしなくともよいという制度です。 　逆にいうと，執行猶予が取消しになれば，実際に懲役〇年の服役をしなければならないということです。では，どのような場合に取消しになるかというと，△年の猶予の期間中にさらに罪を犯して禁錮以上の実刑に処せられた場合がまずあげられます。 　この判決が確定する前の余罪でもそれが実刑になると，今回の執行猶予が取消しとなります。 　執行猶予が取消しになると，その時の実刑と，今回の懲役〇年が足されて，長期間の服役になってしまうのです。 　さらに△年の猶予の期間中にさらに罪を犯して罰金刑に処せられただけでも，執行猶予が取消しになる場合があります。 　したがって，猶予の期間中は十分注意する必要があります。 　説明は分かりましたか。 （被告人）はい。
上訴権の告知	**有罪判決の場合の上訴権の告知の例** （裁判長）この判決に不服がある場合には，控訴の申立てをすることができます。その場合には，明日から数えて

	14日以内に，東京高等裁判所あての控訴申立書を，この水戸地方裁判所に提出してください。

(1) 評議

事件の審理が合議体でなされているときには，裁判の内容は，その合議体を構成する各裁判官，又は裁判員裁判においてはその合議体を構成する裁判官及び裁判員の評議によることになる（裁判員法66条1項）。

(2) 宣告の手続・効果及び判決書

判決の宣告は，公判廷において，裁判長が，主文及び理由の朗読又は主文の朗読及び理由の要旨の告知の方法により行う（法342条，規35条1項，2項)。判決は宣告によって外部的に成立し，以後同一裁判所においてこれを変更することができない。

全部無罪の判決の場合，主文は「被告人は無罪」となり，その理由が示されることになる。

有罪判決の構成は，次のとおりである（主な項目のみをあげる)。

主文	
	主刑（法333条1項，刑法9条） 例えば，「被告人を懲役1年6月に処する。」
	刑の執行猶予（法333条2項，刑法25条） 該当する場合，例えば，「この裁判が確定した日から3年間その刑の執行を猶予する。」
	付加刑（没収）（法333条1項，刑法9条，19条等） 該当する場合，例えば，「押収してある出刃包丁1丁（平成○年押第○号の○）を没収する。」
理由	
	罪となるべき事実（法335条1項） 犯罪を構成するべき積極的要件に該当する事実である。
	証拠の標目（法335条1項） 罪となるべき事実を認定した根拠となる証拠の標目を掲げる。
	事実認定の補足説明 事実認定上の争点があって，「証拠の標目」欄に標目を掲げるだけでは罪となるべき事実を認定した理由が明らかではないときは，事実認定についての補足的な説明がなされるのが通常であ

	る。
	法令の適用（法 335 条 1 項） 罪となるべき事実等から主文を導く際にどのような法令を適用したかを明らかにする。罪となるべき事実が該当する構成要件及び法定刑を示す条項，科刑上の一罪や併合罪の処理に用いた条項，執行猶予の根拠条項，没収の根拠条項などが挙げられる。
	法律上犯罪の成立を妨げる理由又は刑の加重減免の理由となる事実の主張に対する判断（法 335 条 2 項） 正当防衛，緊急避難，心神喪失等の主張に対する判断が示される。
	量刑の理由 量刑の理由についても判示されることが多い。

検察官は，判決宣告期日に出席しなければならず（法 282 条 2 項），被告人も，原則として，同期日に出頭することを要する（法 286 条）。弁護人の出頭は判決宣告のための要件ではなく，いわゆる必要的弁護事件（法 289 条 1 項）についても，判決宣告のためのみの公判期日は，弁護人の出頭がなくとも開廷できる。

有罪判決を宣告する場合には，被告人に対し上訴期間及び上訴申立書を差し出すべき裁判所を告知しなければならない（規 220 条）。

執行猶予や保護観察の場合，被告人にその意味が分かるように，裁判長が制度の説明をするのが通例である。

なお，判決の宣告後，被告人に対しその将来について適当な訓戒をすることができる（規 221 条）。

第5　身柄に関係する手続

裁判所が，公訴の提起を受け審理を進めていくに当たっては，審判の必要上種々の強制処分をなし得る権限が認められているが，ここでは，特に重要と思われる勾留と保釈を取り上げることとする。

1　勾留

本件において，被告人は，現行犯逮捕された後，公訴提起の前後にわたって被疑者としての勾留と被告人としての勾留を引き続き受けている。

(1) 被告人の勾留と被疑者の勾留との関係

被告人は，公判廷に出頭する権利と義務があり，原則として被告人の出頭がなければ開廷することができない（法286条）。被告人の出頭を確保するための強制処分としては，召喚，勾引，勾留があるが，**被告人の勾留**は，単に被告人の公判廷への出頭を確保するというだけではなく，それと同時に証拠の隠滅を防止するという審判上の目的のためにも認められる強制処分である。

被告人の勾留は，**被疑者の勾留**が**起訴前の勾留**と呼ばれるのに対応して，**起訴後の勾留**とも呼ばれる。

被告人の勾留は被告人の公判廷への出頭確保等審判の必要のために認められるのに対し，被疑者の勾留は当面は捜査の遂行を前提としての身柄拘束であるとみられる。また，被疑者の勾留は，被疑者を逮捕し，又はその送致等で身柄を受け取った検察官から裁判官に対する請求に基づいてなされるが，被告人の勾留は，全て職権によるもので，検察官の請求権が認められていない。そして，被告人の勾留は，逮捕を前置しない点でも被疑者の勾留と異なる。

被疑者の勾留を受けた者が，その勾留の基礎になっていた被疑事実と同一の事実で起訴された場合には，**被疑者の勾留が起訴と同時に自動的に被告人の勾留に切り替わる**（法208条1項，60条2項参照）。

プラクティス刑事裁判の事件においても，平成29年6月11日になされた起訴前の勾留（別冊71頁の勾留状参照）は，同月30日の公訴提起と同時に起訴後の勾留に切り替わっている。このような場合改めて被告人としての勾留質問手続を要しないとされているのは，勾留の要件は被疑者の場合と被告人の場合とでほとんど同じであり（法207条1項，規302条1項参照），既に被疑者の段階でその要件の審査がなされているので繰り返してそれを行う必要がないとの考慮によるのであろう。

しかし，事実の同一性があることが要件となっているのであるから，公訴の提起があった時点で，事実の同一性の存在について裁判官の判断を経る必要がある。もっとも，実際上は，事実の同一性を欠くのは例外的な場合であって，その場合は検察官が起訴状に「勾留中求令状」と表示して裁判官の職権発動を促すのが通例である。検察官が公訴提起と同時に勾留の職権発動を求める場合は，「勾留中求令状」のほか，「逮捕中求令状」，在宅の者に対する公訴提起に際し勾留の職権発動を求める「在宅求令状」や「保釈中求令状」，「別件勾留中求令状」などがある。

被疑者・被告人の身柄関係についてのおおまかな手続の流れは図 19のようになる。

図 19

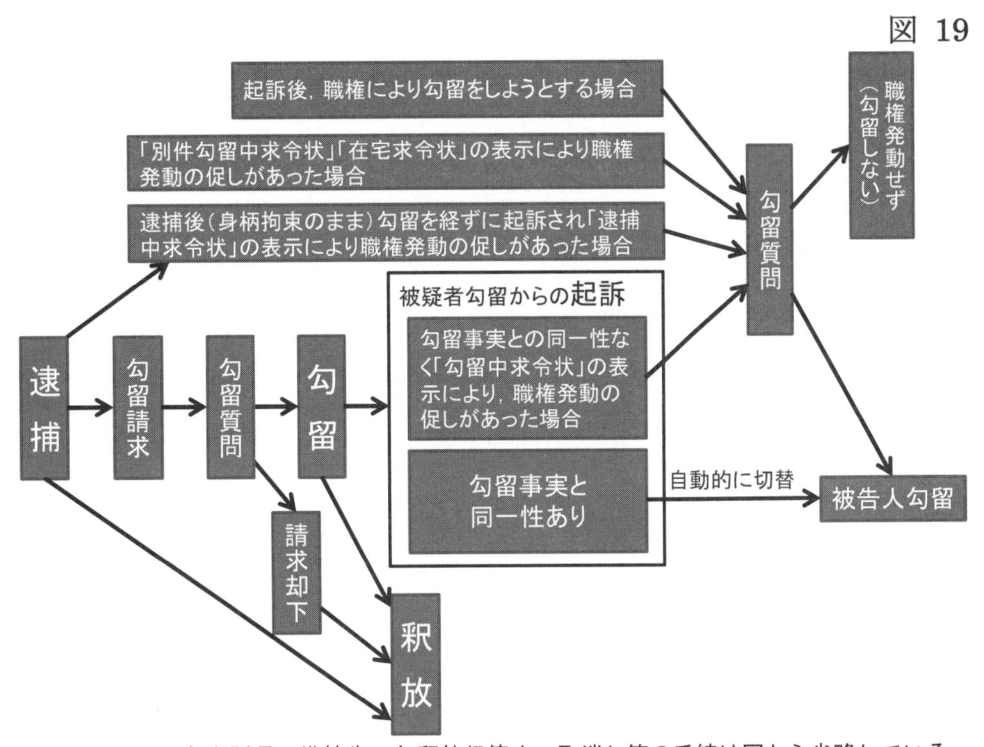

※勾留延長，準抗告，勾留執行停止・取消し等の手続は図から省略している。

(2) 第1回公判期日前の勾留に関する処分

被告人の勾留は，本来受訴裁判所が審判の必要の観点から職権で行うものである。しかし，予断排除の要請から，第1回公判期日が終了するまでの間，勾留に関する処分は受訴裁判所を構成する裁判官以外の裁判官がこれを行うことになっている（法280条１項，規187条１項）。

「勾留に関する処分」とは，勾留，勾留更新，接見交通の制限，勾留の取消し，勾留の執行停止，保釈，保釈の取消し，勾留理由開示など，勾留に関する全ての処分をさす。

Q　第１回公判期日前に，受訴裁判所が勾留に関する処分を行うことは，なぜ予断排除の観点から問題となるのか。

プラクティス刑事裁判の事件でも，保釈許可決定を受訴裁判所に属する裁判官以外の裁判官が出していることが，別冊77頁の保釈許可決定等から分かる。

ここにいう第１回公判期日とは，単に形式的に第１回目の公判が開かれた期日をさすのではなく，法291条が規定している冒頭手続がなされた公判期日ということになる。なぜなら，予断排除の要請から勾留の処分をなすべき者は受訴裁判所を構成する裁判官以外の裁判官と定められたものであり，この趣旨からすると，冒頭手続がなされ，公判廷において，事件の争点が明らかになったならば，予断排除ということを問題にする必要がないと解されるからである。したがって，第１回目の公判期日で，法291条の冒頭手続がなされなかったり，あるいはその一部だけがなされた場合には，いまだ第１回公判期日が終わったとはいえず，勾留に関する処分は受訴裁判所を構成する裁判官以外の裁判官が行うことになる。また，追起訴された事件の勾留に関する処分についても，その冒頭手続がなされない間は同様である。

(3) 勾留の要件

勾留の一般的要件には，実体的要件と手続的要件とがある。

ア 実体的要件

実体的要件は，次のとおりである。

①　被告人（被疑者）が罪を犯したことを疑うに足りる相当な理由があること（相当な犯罪の嫌疑），
②　法60条１項各号に掲げる事由，すなわち，住居不定（１号），罪証隠滅のおそれ（２号），逃亡のおそれ（３号）のどれかが存在すること（なお，法60条３項により，一定の軽微な犯罪については，被告人（被疑者）

が住居不定のときしか勾留することができない）

③　勾留の必要性が存在すること（事案の軽重，態様，被告人の年齢，境遇，身体の状況その他諸般の事情を総合して勾留の相当性が認められること。被疑者の勾留においても，裁判官がこの点についての判断権を有するとするのが現在の支配的見解である）

②については，法60条１項に掲げられた各号のうちどれかに該当すればよいとされるが，規70条が勾留状に法60条１項各号に定める事由を記載しなければならないとしていることから（記載例については，プラクティス刑事裁判別冊72頁参照），実務では，勾留の判断に当たって，同項各号の全てについて検討している。

法60条１項２号の「**罪証隠滅のおそれ**」とは，証拠に対する不正な働きかけによって，判断を誤らせたり，捜査や公判を紛糾させたりするおそれがあることをいうとされる。

その有無を判断するに当たっては，次の四つを検討することが有益である。

ⅰ　**罪証隠滅の対象**　どのような事実に関するどのような証拠が対象となるかという観点である。特に，争点を判断するに当たっての重要なポイントに関する証拠が焦点になるだろう。なお，「罪証隠滅の対象」というときは，どのような事実を対象とするかのみを考え，その事実を証明するどのような証拠を対象とするかは次の「態様」のところで考える見方もある。いずれにせよ，証明されるべき事実とそれを証明するべき証拠とは，分けて考えなければならない。

ⅱ　**罪証隠滅の態様**　（どのような証拠に対して）どのような方法で働きかけが行われるかという観点である。

ⅲ　**罪証隠滅の客観的可能性及び実効性（罪証隠滅の余地）**　罪証隠滅が客観的に実行可能でなければ罪証隠滅のおそれがあるとはいえないし，働きかけによって実際に効果が生じなければ（実効性がなければ）やはり罪証隠滅のおそれがあるとはいえないだろう。

ⅳ　**罪証隠滅の主観的可能性**　被疑者・被告人が，主観的に，具体的な罪証隠滅の行為に出る可能性も必要である。

③の**勾留の必要性**は，法の明文で要求されている要件ではないが，勾留の必要性がなくなったときは勾留を取り消すべきとする法87条の趣旨等から，勾留の判断に当たっても考慮されている。ここでは，被疑者・被告人

の身柄を拘束しなければならない積極的な必要性と，身柄拘束によって被疑者・被告人が受ける不利益・苦痛や弊害が比較衡量されるであろう。

イ　手続的要件

手続的要件は，次のとおりである（前記(1)（100 頁）のとおり，勾留されている被疑者が同一の事実について起訴されることによって，被告人勾留に自動的に切り替わるような場合には，これらの手続は不要である）。

①　被告事件（被疑事実）の告知及び陳述聴取（**勾留質問**。法 61 条本文）
②　弁護人選任権等の告知が行われたこと（法 77 条１項，２項）

なお，**被疑者の勾留**の場合は，次のような事項も勾留が認められるための要件となる。

③　検察官の請求があること（法 204～206 条）
④　前述したように勾留の基礎となっている事実と同一性のある事実について逮捕手続が先行していること（**逮捕前置主義**）
⑤　法 203～205 条の**時間制限**が遵守されているか又は遵守できなかったことについて「やむを得ない事由」が存すること（法 206 条）
⑥　逮捕手続に重大な違法がないことなど勾留請求に至るまでの手続が適法になされたこと

勾留の裁判は，**勾留状**を発してこれをしなければならない（法 64 条，規 58，70，71 条）。プラクティス刑事裁判別冊 71～72 頁に収められているのが，この事件の被疑者段階の勾留状である（被告人勾留の勾留状には，「被疑者」が「被告人」とされているのはもちろんであるが，別冊 71 頁の「勾留請求の年月日」欄がなく，72 頁の勾留期間の延長欄もない）。なお，被疑者勾留の請求を却下するときは，勾留請求書の余白に「本件勾留請求を却下する。理由　必要性なし」などと日付とともに記載して，裁判官が記名押印していることが多い。

被告人を勾留したときは，直ちに弁護人にその旨を通知しなければならない（法 79 条）。被告人に弁護人がないときは，被告人の法定代理人，保佐人，配偶者，直系の親族，兄弟姉妹の中から被告人の指定する者一人に（同条），もし上記の者がないときは被告人の申出によりその指定する者一人に（規 79 条）その旨を通知しなければならない。勾留状は，検察官の指揮により，検察事務官又は司法警察職員がこれを執行する（法 70 条１項本文）。

なお，司法統計による最近の地方裁判所における勾留請求事件の処理状況をみると，勾留請求却下の割合は，平成 17 年が 0.8%であったところから徐々に上昇して平成 22 年には 2.7%となり，近年は更に上昇し，平成 26 年には 5.1%，平成 28 年には 6.8%に達している。

(4) 勾留期間と勾留期間更新

勾留期間とは，勾留状による拘禁の効力が継続する期間のことである。被告人の勾留の場合，勾留期間は，公訴提起があった日から 2 か月である（法 60 条 2 項本文）。2 か月の勾留期間が満了しても，特に継続の必要がある場合には，具体的にその理由を付した決定で 1 か月ごとに更新することができる。これを**勾留期間更新（勾留更新）**という。勾留更新は原則として 1 回に制限されるが，法 89 条 1 号，3 号，4 号若しくは 6 号の各号に当たる場合又は被告人に対し禁錮以上の刑に処する判決の宣告があった場合は，その制限を受けない（法 60 条 2 項，344 条）。

被疑者の勾留期間は原則として勾留請求をした日から 10 日間である（法 208 条 1 項）。検察官の請求により，裁判官がやむを得ない事由があると認めるときは，10 日までの期間延長をすることができる（同条 2 項）。**勾留延長**と呼ばれる。やむを得ない事由とは，①　捜査を継続しなければ検察官が事件を処分できないこと，②　10 日間の勾留期間内に捜査を尽くせなかったと認められること，③　勾留を延長すれば捜査の障害が取り除かれる見込みがあること，がそろっていることを要するとされている。

(5) 勾留の執行停止

裁判所は，適当と認めるときは，決定で，勾留されている被告人を親族，保護団体その他の者に委託し，又は被告人の住居を制限して，勾留の執行停止をすることができる（法 95 条）。被告人が急病で緊急に入院，手術を要するときや肉親の葬儀に参列する場合などになされることがある。勾留の執行停止には期間を定めることができる（法 98 条 1 項）。

勾留の執行停止は，裁判所の職権によってのみなされる。実務上被告人や弁護人から勾留の執行停止の請求がなされることがあるが，それは裁判所の職権発動を促す意味しか持たない。

(6) 勾留の効力の消滅

勾留状が失効した場合又は勾留の取消しがあった場合には，勾留状による拘禁の効力が消滅する。

勾留状が失効するのは，次のような場合である。

①　勾留期間が満了したとき
②　無罪，刑の執行猶予等の裁判の告知があったとき（法 345 条）
③　それ以外の終局裁判が確定したとき

勾留の取消しをすべき場合とは，次のとおりである。

①　勾留の理由又は勾留の必要がなくなったとき（法 87 条１項）
②　勾留による拘禁が不当に長くなったとき（法 91 条１項）

(7) 接見交通の制限

裁判所（裁判官）は，逃亡し又は罪証を隠滅すると疑うに足りる相当な理由があるときは，検察官の請求により又は職権で，勾留されている被告人（被疑者）と法 39 条１項に規定する弁護人等以外の者との接見を禁じることなどができる（法 81 条）。接見交通の制限は，被告人（被疑者）が勾留されていることを前提とするから，ここで言う「罪証を隠滅すると疑うに足りる相当な理由」は，勾留によっては防止できない程度の罪証隠滅のおそれがあることをいうと解される。

２　保釈

保釈とは，勾留中の被告人に対し，保証金を納付させ，必要に応じて更に裁判所又は裁判官が適当と認める条件を付し，一定の取消事由が生じた場合は，その保釈が取り消され，納付した保証金が没取されることがあるとの心理的な負担を課すことによって，被告人の逃亡及び罪証隠滅の防止という勾留の目的を全うしつつ被告人の身柄の拘束を解く制度である。保釈は，起訴後に限られており，被疑者の段階では認められていない（法 207 条 1 項ただし書）。

(1) 保釈の種類

保釈請求があった場合は，**法 89 条各号の例外事由**が認められない限り，保釈を許さなければならない（ただし，被告人に対し禁錮以上の刑に処する判決の宣告があった後は，法 89 条の規定の適用が排除される。法 344 条）。これは，**権利保釈**又は**必要的保釈**とよばれる。

また，裁判所は，保釈された場合に被告人が逃亡し又は罪証を隠滅するおそれの程度のほか，身体の拘束の継続により被告人が受ける健康上，経済上，社会生活上又は防御の準備上の不利益の程度その他の事情を考慮し，適当と認めるときは，職権で保釈を許すことができる（法 90 条）。これは，**職権保釈（裁量保釈）**とよばれる。

また，裁判所は，勾留による拘禁が不当に長くなったときは，請求により又は職権で保釈を許さなければならないとされている（法 91 条 1 項。**義務的保釈**）。

保釈請求があった場合に，まず権利保釈に当たるかどうかを判断し，当たらないと認められるときには，進んで裁量により保釈を許すことができるかどうかについても判断するというのが実務上の取扱いである。

なお，プラクティス刑事裁判の事件のように，権利保釈には該当しないが裁量保釈に当たるとして保釈される事例も多くみられる（少なくとも法 89 条 1 号に該当するので，保釈許可決定（別冊 77 頁）が裁量保釈によるものであることが明らかである）。裁判員裁判を含め公判前整理手続を経る事件では刻々と争点及び証拠の整理が進んでいくから，罪証隠滅のおそれ等もその時点の争点及び証拠の整理の進展・内容に応じて考えることとなる。また，そのような事案では，被告人と十分な打合せを行った上で公判に臨むべき必要性が高いことなどが考慮要素とされることもある。

(2) 保釈の手続

保釈の請求権者は，被告人，弁護人，法定代理人，保佐人，配偶者，直系の親族，兄弟姉妹である（法 88 条 1 項）。

請求は，原則として書面による。規則 296 条 1 項によれば口頭でも差し支えないようであるが，実務では例外なく書面によっている。

保釈請求があった場合の決定までの手続の流れは，おおまかにいうと，次の図 20 のようになる。

図 20

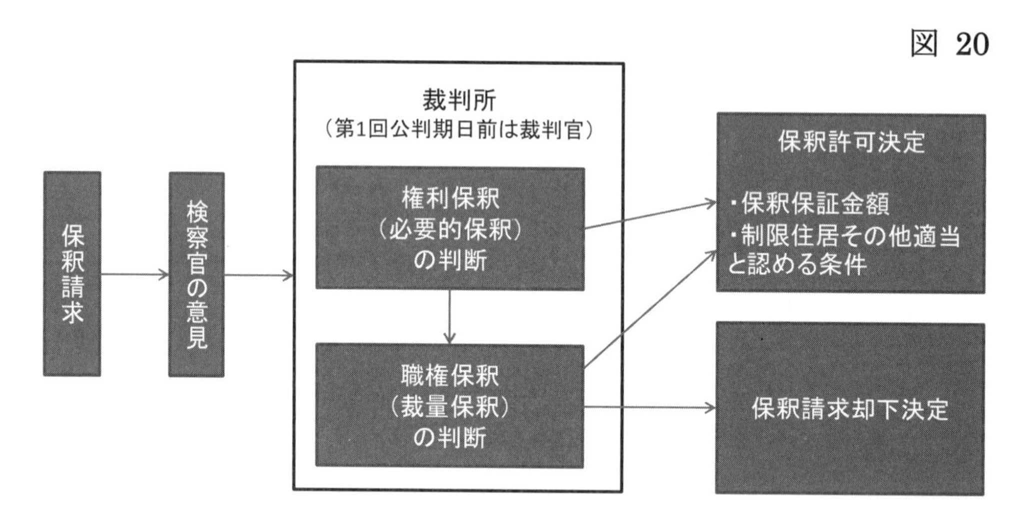

プラクティス刑事裁判別冊には，75 頁に保釈請求書及びその添付書類である身柄引受書が，76 頁に裁判官から検察官に対する求意見書及び検察官の意見が，77 頁に保釈許可決定書が収められている。

保釈の裁判は，第 1 回公判期日までは，事件の審判に関与すべき裁判官以外の裁判官が行い（法 280 条 1 項），第 1 回公判期日が終了した後は，その事件を担当する受訴裁判所において保釈に関する処分を行うことになる。

保釈の許否を決するに当たっては，検察官の意見を聴かなければならない（法 92 条 1 項）。検察官が保釈に賛成する場合には，「保釈相当」と，裁判官の判断に委ねる場合には「しかるべく」と，反対する場合には「保釈不相当」と意見書に記載するのが通常である。「保釈不相当」の意見の場合には，具体的な理由を記載することが多い。

裁判所又は裁判官は，保釈を許すときは，保釈許可決定を，許さないときは保釈請求却下決定をする。

保釈を許す場合，保釈は，**保証金**の納付を条件とする身柄釈放の制度であるから，必ず保証金額を定めなければならない（法93条1項）。その保証金額は，犯罪の性質及び情状，証拠の証明力並びに被告人の性格及び資産を考慮して，被告人の出頭を保証するに足りる相当な金額でなければならない（同条2項）。

保釈保証金は，裁判所が保釈を取り消す場合に，裁量によって，決定で，その全部又は一部を没取することができる（法96条2項）。

保釈を許す場合には，被告人の住居を制限し（**制限住居**を定め）その他適当と認める条件を付することができる（法93条3項）。

保釈請求を却下するときには，理由において該当すると判断される全ての号を検討，指摘し，かつ，裁量によっても保釈することが相当でないことを明示するのが通例である。このような場合，保釈請求却下決定の理由は，「被告人に対する○○被告事件について，平成○年○月○日○○○から保釈の請求があったので，裁判所は，検察官の意見を聴いた上，刑事訴訟法第89条○，○号の場合に該当し，かつ，裁量で保釈することも相当でないと認めて，これを却下する。」などということになる。

なお，司法統計による昭和46年以降の地方裁判所における保釈の状況をみると，各年における保釈請求人員に対する終局前保釈許可人員の割合は，47%以上で推移しており，平成19年に55%を超え，平成28年には63.4 %に達している。その一方で，各年における勾留状発付人員に対する終局前保釈許可人員の割合は，昭和47年（58.4%）をピークに経年的に低下したものの，平成15年（12.6%）を底に上昇に転じ，平成23年に20%を超え，平成28年には30.3%となっている。

(3) 保釈の取消し，失効

裁判所は，被告人が召喚を受け正当な理由がなく出頭しないなど一定の事由があるときは，検察官の請求により又は職権で，決定をもって保釈を取り消すことができる（法96条1項）。

また，被告人に対し禁錮以上の刑に処する判決の宣告があったときは，保釈はその効力を失う（法343条前段）。

索引

し

せ

そ

た

ち

り

る

ろ

プロシーディングス刑事裁判（平成30年版）　書籍番号　31-02

平成28年11月25日　第１版第１刷発行
平成31年１月25日　平成30年版第１刷発行
令和３年９月15日　平成30年版第２刷発行

編　集　司法研修所刑事裁判教官室
発行人　門　田　友　昌
発行所　一般財団法人　法　曹　会
〒100-0013　東京都千代田区霞が関１－１－１
振替口座　00120-0-15670
電　話　03-3581-2146
http://www.hosokai.or.jp/

落丁・乱丁はお取替えいたします。

ISBN 978-4-86684-016-1